ZHONG
Jano Rion
Xin Kao Dai
Shar Liwao
OCEANUS
NILO
Honderd Eilanden
Stetriol

Vechten voor je leven

Wat is jouw spirit animal?
Doe de test op www.spiritanimalstest.nl

Brandon Mull

Vechten voor je leven

Vertaald door Maria Postema

Voor Sadie, die van dieren houdt.
En voor Fluffy, Buffy en Mango, die dieren zijn.
– B.M.

Eerste druk 2014

Landkaart: Michael Walton
Omslagontwerp: Charice Silverman
Omslagbelettering: Annemieke Groenhuijzen
Uitgeverij Leopold, Amsterdam / www.leopold.nl
ISBN 978 90 258 6503 0 / NUR 283

Uitgeverij Leopold drukt haar boeken op papier met het FSC®-keurmerk. Zo helpen we waardevolle oerbossen te behouden.

Briggan

Als hij had mogen kiezen, had Conor op de belangrijkste verjaardag van zijn leven niet in de kamer van Devin Trunswick gestaan om hem te helpen met aankleden. Heel eerlijk gezegd zou hij Devin Trunswick uit zichzelf nooit met ook maar iets geholpen hebben.

Maar Devin was de oudste zoon van Eric, graaf van Trunswick, en Conor was de derde zoon van Fenray, schaapherder. Fenray had hoge schulden bij de graaf en Conor moest helpen die schulden af te lossen door als Devins bediende te werken. De regeling was een jaar geleden ingegaan en zou nog minstens twee jaar duren.

Conor moest alle rottige haakjes aan de achterkant van Devins jas stuk voor stuk goed vastmaken, anders kwamen de plooien scheef te hangen en dat zou hij dan nog weken moeten aanhoren. De mooie stof was meer voor de sier dan praktisch. Conor wist zeker dat Devin in een zware storm veel liever een eenvoudigere, stevigere jas zou hebben. Eentje zonder haakjes. Eentje die hem misschien zowaar warm zou houden.

'Ben je eindelijk klaar met dat gehannes daarachter?' vroeg Devin geërgerd.

'Mijn excuses dat het zo langzaam gaat, meneer,' antwoordde Conor. 'Uw jas heeft achtenveertig haakjes. Ik maak net het veertigste vast.'

'En hoeveel dagen gaat het nog duren? Ik ben al bijna bejaard! Volgens mij zuig je die getallen gewoon uit je duim.'

Conor beet op zijn tong. Hij had zijn hele jeugd schapen geteld en kon waarschijnlijk een stuk beter rekenen dan Devin. Maar de zoon van een edelman tegenspreken leverde te veel ellende op, dat was het niet waard. Soms leek Devin hem expres uit te dagen. 'Ik denk dat ik aardig in de buurt zat.'

De deur vloog open en Dawson, het jongere broertje van Devin, stormde de kamer in. 'Devin, ben je nou nóg niet aangekleed?'

'Ik kan er ook niets aan doen,' protesteerde Devin. 'Conor staat te suffen.'

Conor keek maar heel even op toen Dawson binnenkwam. Hoe sneller die haakjes vastzaten, hoe eerder hij zichzelf kon gaan voorbereiden.

'Is Conor in slaap gevallen?' riep Dawson giechelend. 'Wat zeg je toch altijd fascinérende dingen, broer.'

Conor moest een grijns onderdrukken. Dawson was een enorme kletsmajoor. Meestal vond Conor hem irritant, maar soms kon hij ook best grappig zijn. 'Ik ben wakker, hoor.'

'Is het nu eindelijk klaar?' klaagde Devin. 'Hoeveel moet je er nog?'

Conor had zin om 'twintig' te zeggen. 'Vijf.'

'Denk je dat je een totemdier zult oproepen, Devin?' vroeg Dawson.

'Dat lijkt me wel,' antwoordde Devin. 'Grootvader heeft een mangoest opgeroepen, en vader kreeg een lynx.'

Vandaag was de Nectarceremonie van Trunswick. Over minder dan een uur zouden alle kinderen uit het dorp die deze maand elf werden om de beurt proberen een totemdier op te roepen. Conor wist dat sommige families vaker een beestenband smeedden dan anderen. Maar ook met zo'n bekende achternaam als die van Devin was het nooit zeker dat je een totemdier kreeg. Vandaag zouden slechts drie kinderen de Nectar drinken en de kans was groot dat er bij geen van hen iets zou gebeuren. Het was in elk geval niet iets om van tevoren al over op te scheppen.

'Welk dier denk je dat je krijgt?' vroeg Dawson.
'Geen idee,' zei Devin. 'Wat denk jij?'
'Een eekhoorn,' voorspelde Dawson.

Devin deed een uithaal naar zijn broer, die gierend van het lachen wegrende. Dawson was minder formeel gekleed dan zijn oudere broer en kon zich makkelijker bewegen. Toch kreeg Devin hem al snel te pakken; hij haakte Dawson pootje en drukte hem tegen de grond.

'Ik denk eerder een beer,' zei Devin terwijl hij zijn elleboog met een draaiende beweging in de borst van zijn broertje duwde. 'Of een katachtige, net als vader. Dan laat ik hem meteen een hapje van jou nemen.'

Conor probeerde geduldig te blijven wachten. Het was niet aan hem om zich ermee te bemoeien.

'Misschien krijg je wel helemaal niets,' zei Dawson dapper.

'Dan word ik gewoon de graaf van Trunswick, en dus ook jouw meester.'

'Niet als jij eerder doodgaat dan vader.'

'Ik zou maar een beetje op mijn woorden passen als ik jou was, tweede zoon.'

'Ik ben blij dat ik jou niet ben!'

Devin verdraaide Dawsons neus tot Dawson begon te jammeren, en toen stond hij op en klopte zijn broek af. 'Mijn neus is in elk geval niet beurs.'

'Conor gaat vandaag ook de Nectar drinken!' joelde Dawson. 'Misschien roept hij wel een totemdier op.'

Conor probeerde zichzelf onzichtbaar te maken. Hoopte hij dat er een totemdier naar hem toe zou komen? Ja, natuurlijk! Wie zou dat niet hopen? Hij kon er niets aan doen. Op een vage achteroudoom tientallen jaren geleden na was het in zijn familie nog nooit iemand gelukt, maar dat wilde niet zeggen dat het niet zou kunnen.

'Tuurlijk.' Devin grinnikte. 'En de dochter van de smid krijgt zeker ook een dier.'

'Je weet het maar nooit,' zei Dawson terwijl hij rechtop ging zitten en over zijn neus wreef. 'Conor, wat voor dier zou jij graag willen?'

Conor staarde naar de vloer. Een edele had hem rechtstreeks iets gevraagd, dus hij moest antwoord geven. 'Ik hou van honden. Ik zou wel een herdershond willen.'

'Tjonge, wat origineel!' Devin lachte. 'De schaapherder droomt ervan een herdershond op te roepen.'

'Honden zijn leuk,' zei Dawson.

'En saai,' zei Devin. 'Hoeveel honden hebben jullie, Conor?'

'Mijn familie, bedoelt u? Tien, de laatste keer dat ik ze geteld heb.'

'Wanneer heb je je familie voor het laatst gezien?' vroeg Dawson.

Conor probeerde zijn stem niet te laten trillen. 'Meer dan een halfjaar geleden.'

'En komen ze vandaag?'

'Ik denk wel dat ze het zullen proberen. Het hangt ervan af of ze weg kunnen of niet.' Hij wilde niet laten merken dat hij het heel erg zou vinden als ze het niet zouden redden.

'Nou, reuzespannend voor je,' snoof Devin. 'Hoeveel haakjes nog?'

'Drie.'

Devin draaide zich om. 'Ik ben klaar met dat getreuzel. Straks komen we nog te laat.'

Op het plein had zich een indrukwekkende menigte verzameld. Het gebeurde niet elke dag dat de zoon van een belangrijke edelman een totemdier probeerde op te roepen. Iedereen was op het evenement afgekomen: zowel burgers als edelen, van jong tot oud. Muzikanten maakten muziek, soldaten paradeerden en een marskramer verkocht gesuikerde noten. Er was zelfs een tribune neergezet voor de graaf en zijn familie. Het leek wel alsof er een feestdag was afgekondigd, vond Conor. Een feestdag voor iedereen behalve hem. Het was een koude, heldere dag. De groene heuvels waarin Conor op dit moment liever zou ronddwalen lagen in de verte achter de blauwe daken en schoorstenen van Trunswick.

Conor was bij een paar Nectarceremonies geweest. Hij had nog nooit meegemaakt dat er een totemdier werd opgeroepen, maar hij wist dat het op dit plein de afgelopen elf jaar meerdere keren was gebeurd. De ceremonies die hij had bijgewoond waren lang niet zo feestelijk geweest. Ze waren veel minder drukbezocht. En er waren al helemaal niet zo veel dieren naartoe gebracht.

Veel mensen geloofden dat de kans op het oproepen van een totemdier groter was als er allerlei verschillende dieren bijeen werden gebracht. Als dat echt zo was, zou Devin wel eens geluk kunnen hebben. Naast de vele huisdieren zag Conor op het plein ook kooien vol vogels met exotische verentooien, herten en elanden achter een omheining, diverse opgesloten katachtigen, drie dassen in een hok en een zwarte beer die met een ijzeren halsband aan een paal geketend was. Er was zelfs een dier dat Conor alleen maar uit verhalen kende: een enorme kameel met twee wollige bulten.

Toen Conor naar het midden van het plein liep voelde hij zich een beetje opgelaten door al die toeschouwers. Hij wist niet goed wat hij met zijn handen aan moest. Zou hij zijn armen over elkaar slaan of ze langs zijn zij laten bungelen? Terwijl hij de intimiderende mensenmassa afspeurde, sprak hij zichzelf moed in met de gedachte dat de meeste ogen toch op Devin gericht waren.

Plotseling zag Conor zijn moeder zwaaien. Zijn oudere broers stonden naast haar, net als zijn vader. Ze hadden zelfs Soldaat meegenomen, Conors lievelingshond.

Ze waren er allemaal! Bij het zien van zijn familie ebde een deel van de spanning weg en verlangde hij opeens naar huis – naar velden om door te zwerven, beekjes om in te zwemmen, bossen om te verkennen. Thuis had hij eerlijk werk gedaan, in de buitenlucht: houthakken, schapen scheren, de honden voeren. Hun huis was klein maar knus, heel anders dan het kolossale, tochtige kasteel van de graaf. Conor zwaaide even naar zijn moeder.

De toekomstige graaf van Trunswick ging voorop naar een bank midden op het plein. Abby, de dochter van de smid, zat al te wachten, stilletjes en overdonderd. Ze had overduidelijk haar mooiste kleren aan, die alsnog lachwekkend gewoontjes waren vergeleken met zelfs maar de simpelste jurk van de moeder of zus van Devin. Conor wist dat hij er naast Devin ook heel eenvoudig uitzag.

Voor de bank stonden twee Groenmantels. Conor herkende de vrouw, Isilla, met haar glanzende grijze haar opgestoken boven haar bleke gezicht. Haar puttertje Frida zat op haar schouder. Isilla leidde de Nectarceremonies al jaren. Ze had de Nectar destijds ook aan zijn beide broers gegeven.

De andere Groenmantel was een onbekende man, lang en gespierd, met brede schouders en een gezicht dat net zo verweerd was als zijn mantel. Zijn huid was donkerder dan die van de mensen om hem heen, alsof hij uit het noordoosten van Nilo of het zuidwesten van Zhong kwam; een ongewone verschijning hier midden in Eura. Zijn dier was niet zichtbaar, maar Conors oog viel op de rand van een tatoeage die kronkelend onder de mouw van de man verdween. Er ging een golf van opwinding door hem heen. Het betekende dat het totemdier van de vreemdeling momenteel op zijn arm lag te slapen.

Abby stond op en maakte een buiginkje toen Devin bij de bank was. Hij nam plaats en gebaarde dat Conor hetzelfde mocht doen. Conor en Abby gingen zitten.

Isilla stak haar handen omhoog om het publiek tot stilte te manen. De onbekende man deed een paar stappen achteruit zodat zij alle aandacht kreeg. Conor vroeg zich af waarom de man erbij was. Het had zeker ook weer iets met de hoge status van Devin te maken, net als alle andere pracht en praal.

Op doordringende toon zei Isilla: 'Hoort allen, inwoners van Trunswick! Wij zijn hier vandaag bijeen om de heiligste rite van heel Erdas uit te voeren, in het aangezicht van mens en dier. Een verbond tussen die twee maakt beide sterker, en vandaag zal blijken of de Nectar tot zo'n verbond zal leiden bij een van deze drie kandidaten: heer Devin Trunswick, Abby, dochter van Grall, en Conor, zoon van Fenray.'

Op Devins naam volgde hard gejuich, maar dat verstomde vrijwel meteen bij de namen van de anderen. Conor probeerde onbewogen te blijven zitten. Hij moest gewoon rustig afwachten, dan was het straks allemaal weer voorbij. Devin zou de Nectar als eerste drinken: de ereplek. Er werd algemeen aangenomen dat degene die tijdens een ceremonie als eerste de Nectar dronk, de meeste kans maakte een totemdier op te roepen.

Isilla bukte zich om een veldfles te pakken met een stop erop. Het leer was bewerkt met ingewikkelde patronen. Ze hield de fles hoog boven haar hoofd om hem aan het publiek te laten zien en haalde toen de stop eraf. 'Devin Trunswick, kom naar voren.'

De menigte floot en klapte terwijl Devin op Isilla afliep en werd weer stil toen ze een vinger op haar lippen legde. Devin knielde voor Isilla, een zeldzaam tafereel. Euraanse edelen knielden alleen voor hogergeplaatste Euraanse edelen. De Groenmantels knielden voor niemand.

'Neem de Nectar van Ninani in ontvangst.'

Gespannen keek Conor naar de fles die aan Devins lippen werd gezet. Misschien werd dit wel de eerste keer dat hij zou zien hoe een totemdier werd opgeroepen uit het onbekende! Het kon haast niet anders of de Nectar zou zijn werk doen, met al die beesten erbij. Conor vroeg zich af hoe het dier eruit zou zien.

Devin slikte. Isilla deed een stap achteruit. Een diepe stilte daalde neer over het plein. Met gesloten ogen hief Devin zijn gezicht naar de hemel. Er ging een moment voorbij. Iemand hoestte. Er gebeurde niets bijzonders. Verbijsterd keek Devin om zich heen.

Conor had gehoord dat een totemdier meteen na het drinken van de Nectar verscheen, en anders niet. Devin ging rechtop staan en draaide met speurende ogen een rondje om zijn as. Er leek niets aan te komen. De menigte begon te mompelen.

Isilla tuurde aarzelend naar de tribune en Conor volgde haar blik. De graaf zat met een grimmig gezicht op zijn troon, zijn lynx naast hem. Ondanks zijn totemdier had hij ervoor gekozen om de groene mantel niet te dragen.

Isilla keek achterom naar de onbekende Groenmantel, die een klein knikje gaf. 'Dank je wel, Devin,' zei ze op plechtige toon. 'Abby, dochter van Grall, kom naar voren.'

Devin leek misselijk. Hij staarde in de verte, maar uit zijn houding bleek hoe vernederd hij zich voelde. Hij wierp een tersluikse blik op zijn vader en sloeg zijn ogen neer. Toen hij weer opkeek had hij een boze uitdrukking op zijn gezicht; zijn schaamte ging over in woede. Conor wendde zijn ogen af, bang dat hij de aandacht van Devin op zichzelf zou vestigen.

Abby dronk de Nectar en zoals Conor al had verwacht gebeurde er niets. Ze liep terug naar de bank.

'Conor, zoon van Fenray, kom naar voren.'

Conor kreeg kriebels in zijn buik toen hij zijn naam hoorde. Nu zelfs Devin geen dier had opgeroepen, was de kans dat er bij Conor iets zou gebeuren wel heel erg klein. Maar je wist het nooit. Er waren nog nooit zo veel ogen op hem gericht geweest. Conor kwam overeind en probeerde niet aan de mensen te denken door alleen naar Isilla te kijken. Het lukte niet echt.

Het was hoe dan ook spannend om er eindelijk achter te komen hoe de Nectar smaakte. Zijn oudste broer had het met zure geitenmelk vergeleken, maar Wallace vond het altijd leuk om hem te pesten. Zijn andere broer, Garrin, vond dat het naar appelcider smaakte. Conor likte zijn lippen af. Hoe het ook smaakte, met het proeven van de Nectar kwam er officieel een eind aan zijn kindertijd.

Conor knielde voor Isilla. Ze keek met een vreemd glimlachje op hem neer en er blonk nieuwsgierigheid in haar ogen. Had ze ook zo naar de anderen gekeken?

'Neem de Nectar van Ninani in ontvangst.'

Conor zette de fles die hem werd voorgehouden aan zijn lippen. De Nectar was stroperig, als siroop, en heel zoet, als in honing gedrenkt fruit. De drank werd vloeibaarder in zijn mond. Hij slikte. Het was heerlijk! Hij had nog nooit zoiets lekkers geproefd.

Voordat hij nog een slokje kon nemen trok Isilla de fles terug. Meer dan één teug zou hij nooit proeven. Conor stond op om terug naar de bank te lopen toen een gloeiend, tintelend gevoel zich door zijn borst verspreidde.

Dieren begonnen te roepen. De vogels krijsten. De katten jankten. De beer brulde. De eland loeide. De kameel snoof en stampte.

De grond begon te beven. De lucht werd donker, alsof er opeens een wolk voor de zon was geschoven. Een felle flits doorboorde de schemering als een bliksemschicht, maar dichterbij dan Conor ooit had meegemaakt, zelfs nog dichterbij dan die keer dat hij had gezien hoe de bliksem boven op de heuvel die hij aan het beklimmen was in een boom sloeg.

De toeschouwers hapten naar adem en begonnen te roezemoezen. Conor was verblind door de flits en knipperde verwoed met zijn ogen om weer iets te kunnen zien. Warme tintelingen trokken vanaf zijn borst door zijn armen en benen. Het was allemaal heel raar, maar toch voelde hij zich opvallend gelukkig.

En toen zag hij de wolf.

Net als alle schaapherders in het gebied had Conor ervaring met wolven. Wolvenroedels hadden al heel wat schapen uit zijn kuddes te pakken gekregen. Wolven hadden in de loop der jaren drie van zijn lievelingshonden doodgebeten. Een van de voornaamste redenen dat zijn vader schulden had bij de graaf, was het feit dat hij door wolven vee was kwijtgeraakt. En dan was er natuurlijk nog die nacht twee jaar geleden, toen Conor en zijn broers het hadden moeten opnemen tegen een brutale roedel die geprobeerd had schapen te stelen uit de omheining op de hoge bergweide.

En nu stond de grootste wolf die hij ooit had gezien hier voor hem, zijn kop fier omhoog. Het was een prachtig beest, krachtig gebouwd, goed doorvoed en met de weelderigste grijs-witte pels die Conor zich kon voorstellen. Hij zag grote poten, scherpe klauwen, puntige tanden en schitterende, kobaltblauwe ogen.

Blauwe ogen?

In de hele geschiedenis van Erdas was er maar één wolf met zulke diepblauwe ogen.

Conor keek naar de Euraanse vlag die aan de tribune van de graaf hing. Briggan de Wolf, beschermdier van Eura, stond met schrandere, doordringende ogen op een helderblauw vaandel.

De wolf stapte rustig naar voren en bleef recht voor Conor staan. Daar ging hij zitten, als een afgerichte hond die zich aan zijn baasje onderwerpt. Zijn kop kwam tot ruim boven Conors middel. Conor zette zich schrap en vocht tegen de aandrang om achteruit te springen. Normaal gesproken zou hij voor dit dier op de vlucht slaan of heel veel misbaar maken. Hij zou met stenen gooien of een stevige stok pakken om zichzelf te verdedigen. Maar dit was niet zomaar een toevallige ontmoeting in de natuur. Zijn hele lijf zinderde, trilde haast, en honderden mensen keken toe. Deze wolf was uit het niets tevoorschijn gekomen!

De wolf keek met een zelfverzekerde blik naar hem op. Het

dier was groot en woest, maar leek zichzelf toch heel goed te kunnen beheersen. Conor vond het erg indrukwekkend dat zo'n roofdier hem met zo veel respect bejegende. Achter die blauwe ogen leek veel meer begrip te schuilen dan mogelijk was voor een dier. De wolf wachtte ergens op.

Conor stak een bevende hand uit en de warme, roze tong van de wolf streelde zijn handpalm. Hij leek wel elektrisch geladen, en het getintel in Conors borst hield onmiddellijk op.

Heel even voelde Conor zich dapperder, slimmer en opmerkzamer dan hij zich ooit had gevoeld. Hij rook de wolf met verscherpte zintuigen en op de een of andere manier wist hij dat het een mannetje was, en dat hij Conor als zijn gelijke zag. Toen was het vreemde moment van verhoogde waarneming weer voorbij.

Pas toen hij de blik op het gezicht van Devin Trunswick zag, drong het echt tot Conor door wat er zojuist was gebeurd. Nog nooit had Conor zo veel blinde woede en afgunst op zich gericht gevoeld. Hij had een totemdier opgeroepen!

En niet zomaar een totemdier. Een wolf. Er werden nooit wolven opgeroepen! Briggan de Wolf was een van de Koningsdieren geweest, en totemdieren waren nooit van dezelfde soort als een Koningsdier. Dat wist iedereen. Het gebeurde gewoon nooit.

En toch was het gebeurd. Het was overduidelijk en onverklaarbaar. Een volwassen wolf duwde zijn snuit tegen de handpalm van Conor. Een wolf met diepblauwe ogen.

Het verbouwereerde publiek was sprakeloos. De graaf leunde aandachtig naar voren. Devin kookte van woede en Dawson had een stomverbaasde grijns op zijn gezicht.

De vreemdeling in de groene mantel kwam naar voren en pakte Conor bij de hand. 'Ik ben Tarik,' zei de man zacht. 'Ik heb een heel eind gereisd om jou te vinden. Als je bij mij in de buurt blijft zal je niets overkomen. Ik wil je niet dwingen om onze eed af te leggen als je er nog niet klaar voor bent, maar je moet wel goed naar me luisteren. Er hangt heel veel van jou af.'

Conor knikte zwijgend. Het was allemaal te veel om te verwerken.

De onbekende Groenmantel hief Conors hand hoog in de lucht en zei met krachtige stem: 'Beste mensen van Trunswick! Het nieuws van deze dag zal door heel Erdas schallen! Briggan is teruggekomen in deze tijd van nood!'

Uraza

In een traag, gelijkmatig tempo sloop Abeke gebukt door het hoge gras. Ze zette haar voeten heel voorzichtig neer, zoals haar vader haar geleerd had, en kwam geruisloos dichterbij. Bij onverwachte bewegingen of geluiden zou haar prooi op de vlucht slaan. En als dit dier ontsnapte, had ze geen tijd meer om nog naar een ander op zoek te gaan.

De antilope boog haar kop om aan het gras te knabbelen. Het dier was nog jong, maar Abeke wist dat het veel sneller was dan zij. Als de antilope ervandoor ging, zou ze met lege handen thuiskomen.

Abeke bleef staan en legde een pijl op de pees van haar boog. Ze trok hem naar achteren en de boog kraakte. De antilope keek met een ruk op. De pijl trof doel en doorboorde het hart en de longen van het dier via de zijkant van het lichaam. De antilope wankelde even en zakte toen in elkaar.

Deze antilope was heel belangrijk voor het dorp van Abeke. Door de droogte was er maar weinig voedsel en omdat het er niet naar uitzag dat het de komende tijd zou gaan regenen, was elk kruimeltje eten meegenomen. Abeke knielde naast het gedode dier en zei zacht: 'Het spijt me dat ik je moest doden. Ons dorp heeft je vlees nodig. Ik heb je van dichtbij door je hart geschoten om je niet te laten lijden. Vergeef me alsjeblieft.'

Abeke keek op naar de strakblauwe hemel. De zon stond al hoger dan ze had gedacht. Hoe lang had ze de antilope achtervolgd? Gelukkig had ze een jong dier gevangen, licht genoeg om te kunnen dragen. Abeke zwaaide de antilope over haar schouders en ging op weg naar huis.

De zon brandde meedogenloos boven de zinderende bruine vlakte. De begroeiing was dor en droog, de struiken snakten slapjes naar water. In de verte stonden een paar eenzame apenbroodbomen, met dikke stammen en wijd uitlopende takken, wazig door de lucht die trilde van de hitte.

Abeke hield haar ogen en oren goed open. Mensen waren niet het lievelingskostje van grote katten, maar met deze voedselschaarste was het oppassen geblazen. En grote katten waren niet de enige dieren die de savanne van Nilo onveilig maakten. Iedereen die zich achter de omheining rond het dorp waagde, liep gevaar.

Hoe langer Abeke onderweg was, hoe zwaarder de antilope leek te worden. Maar ze was groot voor haar leeftijd en altijd al sterk geweest. Bovendien had ze ontzettend veel zin om haar buit aan haar vader te laten zien. Ze probeerde niet op de verzengende zon te letten.

In haar dorp waren het normaal gesproken de mannen die op jacht gingen. Vrouwen gingen bijna nooit in hun eentje op pad. Wat een verrassing zou deze antilope zijn! De perfecte manier om haar elfde naamdag te vieren.

Haar zus Soama was mooier dan zij. Soama kon beter zingen en dansen. Ze kon beter weven. Misschien kon ze zelfs wel beter met haar handen werken.

Maar ze had nog nooit een dier geschoten.

Iets meer dan een jaar geleden had Soama het dorp op haar elfde naamdag een kralenkleed geschonken, met een afbeelding erop van reigers die over een meer vlogen. Veel mensen hadden gezegd dat ze nog nooit zoiets moois van zo'n jonge kunstenaar hadden gezien. Maar konden ze het kleed eten als ze honger hadden? Zou het kraaltjesmeer hun dorst lessen? Zouden de nepreigers hun buik vullen?

Abeke kon een glimlach niet onderdrukken. Voor zover zij wist had er nog nooit een kind een stuk wild als naamdagsgeschenk aangeboden. Het dorp had toch helemaal geen behoefte aan de zoveelste versierde kruik? Er was niet eens water om erin te doen. Aan haar cadeau had je tenminste iets.

Om niet gesnapt te worden door de uitkijkposten nam Abeke een geheime route naar haar dorp. Ze ging naar binnen op dezelfde plek waar ze ook naar buiten was gegaan: door de kapotte planken in de muur naast het ravijn. Ze moest er een lastig stukje voor klimmen, nog lastiger door het karkas op haar schouders, maar het lukte.

Ze was laat. Zonder op de starende blikken van de buren te letten haastte Abeke zich naar huis. Net als de meeste andere woningen in het dorp was hun hut rond, met stenen muren en een kegelvormig rieten dak. Toen ze naar binnen stormde werd ze opgewacht door Soama, die er prachtig uitzag in een oranje omslagjurk en een met kraaltjes geborduurde sjaal. Abeke was zelf heus niet lelijk, maar qua schoonheid had ze het al lang geleden van haar zus verloren. En zij gaf nu eenmaal de voorkeur aan praktische kleren, en vlechtjes die je in een staart kon doen.

'Abeke!' zei Soama. 'Waar bleef je nou? Weet vader al dat je terug bent?'

'Ik was aan het jagen,' legde Abeke trots uit, met de antilope nog steeds op haar schouders. 'In mijn eentje.'

'Ben je buiten het dorp geweest? Achter het hek?'

'Waar zou ik anders een antilope vandaan moeten halen?'

Soama legde haar bruine hand over haar ogen. 'Abeke, waarom doe je toch altijd zo raar? Je was ineens verdwenen. Vader was ontzettend ongerust! Straks ben je te laat voor je verbindingsritueel.'

'Het komt heus wel goed,' suste Abeke. 'Ik zal heel erg opschieten. Ik ben niet zo pietluttig als jij. Wacht maar tot ze mijn mooie buit zien, dan hoor je niemand meer klagen.'

Achter Abeke ging de deur open. Ze draaide zich om en keek omhoog naar haar vader, een lange, slanke, gespierde man met een kaalgeschoren hoofd. Zijn ogen stonden niet vriendelijk. 'Abeke! Chinwe zei al dat je terug was. Ik stond op het punt een groep mensen weg te sturen om je te zoeken.'

'Ik wilde een mooi naamdagsgeschenk aanbieden,' legde Abeke uit. 'Ik heb deze antilope geschoten.'

Haar vader ademde zwaar en deed zijn ogen dicht. Hij moest moeite doen om zijn stem niet te verheffen. 'Abeke. Dit is een heel belangrijke dag. Je bent te laat. Je zit onder het stof en het bloed. Het hele dorp is in rep en roer door jouw verdwijning. Waar is je gezond verstand? Je waardigheid?'

Abeke voelde zich vanbinnen verschrompelen; haar trots ebde weg en haar opgewekte humeur was op slag verpest. Heel even kon ze niets uitbrengen. Tranen sprongen in haar ogen. 'Maar... ik bedoelde het goed. U weet hoe goed ik kan jagen. Het was een verrassing.'

Haar vader schudde zijn hoofd. 'Het was egoïstisch. Eigenwijs. Je kunt die antilope niet aanbieden als naamdagsgeschenk! Dat dier is een bewijs van je slechte gedrag. Wat zegt dat wel niet over jou? Over ons? Wat moeten andere kinderen hier wel niet van leren? Je geeft gewoon die kruik die je hebt gemaakt.'

'Maar die is lelijk!' zei Abeke wanhopig. 'Een aap zou nog een mooiere kruik maken. Ik kan dat gewoon niet.'

'Je doet gewoon je best niet,' zei haar vader. 'Dat je zonder kleerscheuren thuiskomt met een stuk wild geeft aan dat je kunt jagen, maar ook dat je roekeloos bent. We hebben het later nog over je straf. Ga je klaarmaken. Ik zal tegen de anderen zeggen dat je verbindingsritueel toch nog doorgaat. Soama zal je helpen. Als je eens wat vaker een voorbeeld aan haar zou nemen, zou je ons minder te schande maken.'

Abeke voelde zich diep ongelukkig. 'Ja, vader.'

Toen haar vader weg was, zwaaide Abeke de antilope van haar schouders en legde het dier op de grond. Nu ze eens goed naar zichzelf keek zag ze dat haar vader gelijk had: ze zat onder het

Abeke keek hem met samengeknepen ogen door de regen aan. 'Dit is toch niet te geloven, vader?'

'Zeg dat wel.' Hij leek afwezig. Was hij nog steeds boos op haar?

'Je dochter heeft een eind aan de droogte gemaakt,' zei Chinwe.

'Daar lijkt het wel op.'

'En ze heeft een luipaard opgeroepen. Misschien wel dé luipaard.'

Haar vader knikte bedachtzaam. 'Het oude beschermdier van Nilo. Wat betekent dat, Chinwe?'

'Ik weet het niet,' zei Chinwe. 'Het is anders dan... Ik moet met iemand overleggen die meer kan zien dan ik.'

Haar vader keek naar de luipaard. 'Zijn we wel veilig?'

Chinwe haalde haar schouders op. 'Zo veilig als mensen bij een wild dier kunnen zijn. Het is haar totemdier.'

Haar vader wendde zich tot Abeke terwijl de druppels zijn kale hoofd striemden. 'De regen probeert de verloren tijd in te halen. Kom mee.'

Abeke liep op een drafje achter haar vader aan; haar mooie omslagdoek raakte helemaal doorweekt. Ze probeerde te begrijpen waarom hij zo uit zijn humeur leek. 'Bent u teleurgesteld?' vroeg ze voorzichtig.

Hij bleef staan en pakte haar bij de schouders, zonder op de regen te letten. 'Ik ben met stomheid geslagen. Ik zou blij moeten zijn dat je een dier hebt opgeroepen. Maar je hebt een luipaard opgeroepen! En niet zomaar een luipaard, nee, een luipaard die op ons beroemde beschermdier lijkt. Jij bent altijd al anders geweest, in positieve en in negatieve zin. Maar dit slaat alles! Zal jouw dier je goede of slechte dingen brengen? En ons? Ik weet niet wat ik ervan moet denken.'

De luipaard gromde zacht, niet heel dreigend maar wel ontevreden. Abekes vader draaide zich om en ging voorop naar hun hut. De luipaard liep achter hen aan. Toen ze bij de voordeur kwamen, stond er een vreemdeling op hen te wachten. Hij droeg Euraanse kleren: laarzen, een broek en een dure blauwe mantel met een kap tegen de regen. Door de kap was zijn gezicht niet goed te zien.

Abekes vader bleef vlak voor de man stilstaan. 'Wie bent u?'

'Mijn naam is Zerif,' antwoordde de man met een levendige stem. 'Ik kom van ver. Uw dochter heeft het onmogelijke voor elkaar gekregen, zoals weken geleden al voorspeld is door Yumaris de Ondoorgrondelijke, een van de wijste vrouwen van heel Erdas. De gebeurtenissen van vandaag zullen de wereld veranderen. Ik ben hier om jullie te helpen.'

'Kom dan vooral binnen,' zei haar vader. 'Ik ben Pojalo.'

Met z'n drieën stapten ze door de deuropening. De luipaard volgde soepeltjes.

Soama zat op hen te wachten; haar kleren vochtig maar niet doorweekt. Blijkbaar was ze snel naar binnen gegaan toen het begon te regenen. 'Daar is ze,' zei ze met een waakzame blik op de luipaard. 'Droom ik?'

'Mooi is ze, hè?' vroeg Abeke, in de hoop dat haar zus onder de indruk was. De luipaard snuffelde even in de lucht en ging toen naast Abeke zitten. Abeke bukte zich om de natte vacht te aaien. De sterke geur kon haar niets schelen.

'Ik vind het maar niks,' zei Soama. Hulpzoekend keek ze naar haar vader. 'Moet dat beest echt mee naar binnen?'

'Ze hoort bij mij,' antwoordde Abeke onmiddellijk.

De vreemdeling zette zijn kap af. De man was van middelbare leeftijd, met een lichtbruine huid en een keurig geknipte baard die alleen het puntje van zijn kin bedekte. 'Misschien kan ik van dienst zijn. Dit moet allemaal erg verwarrend voor jullie zijn. Abeke, toen je vanochtend wakker werd had je vast niet verwacht dat je het lot van de wereld zou veranderen.'

'Waar kom je vandaan, Zerif?' vroeg Pojalo.

'Een reiziger als ik komt uit alle windstreken,' antwoordde Zerif.

'Bent u een Groenmantel?' Abeke vond dat hij net zo zelfverzekerd overkwam als een Groenmantel, ook al droeg hij het kledingstuk zelf niet.

'Ik ben een van de Getekenden, maar ik draag de groene mantel niet. Ik hoor wel bij hen, maar ik hou me vooral bezig met de Koningsdieren. Hebben jullie gehoord over de gevechten in Zuid-Nilo?'

'Alleen geruchten,' zei Pojalo. 'Iets over buitenlandse indringers. Door de droogte hadden wij de laatste tijd vooral zorgen over water en voedsel, eerlijk gezegd.'

'Die geruchten zijn als het gekraak van een dam die elk moment kan doorbreken,' zei Zerif. 'Binnenkort zal niet alleen heel Nilo, maar zelfs heel Erdas overspoeld worden door oorlog. De Gevallen Beesten keren terug. Jouw dochter heeft een van hen opgeroepen. En daardoor staat ze nu midden in de strijd.'

Pojalo keek met een geschrokken blik naar de luipaard. 'We vonden al dat ze erg op...'

'Ze lijkt er niet zomaar op,' verbeterde Zerif. 'Abeke heeft Uraza opgeroepen.'

'Maar hoe...' fluisterde Soama met grote, bange ogen.

'Daarop is geen antwoord mogelijk,' zei Zerif. 'De enige vraag is nu: wat gaat ze doen? Ik bied mijn hulp aan. Jullie moeten snel handelen. Deze luipaard zal Abeke vele vijanden geven.'

'Wat stel je voor?' vroeg Pojalo. 'Ze is onze nieuwe Regendanser, en er is heel veel regen nodig.'

'Haar gave,' stelde Zerif ernstig, 'zal veel meer brengen dan alleen regen.'

Abeke fronste haar wenkbrauwen. Deze onbekende Zerif had duidelijk plannen met haar, en haar vader hing aan zijn lippen. Wilde hij haar soms kwijt? Zou hij ook zo gretig zijn als Soama de luipaard had opgeroepen?

Zerif wreef met twee vingers door zijn baard. 'We hebben veel te doen. Laten we beginnen bij het belangrijkste: jullie hebben vast wel gemerkt dat Uraza een beetje gespannen is. Ik stel voor dat jullie de luipaard die dode antilope geven, of die twee anders niet bij elkaar in dezelfde kamer zetten.'

Jhi

Meilin zat op een kussen voor de spiegel en bracht nauwgezet haar oogschaduw aan. Ze vond het niet erg als haar dienstmeisjes haar opmaakten voor een feestdag of een banket, maar vandaag was een belangrijke dag. Vandaag wilde ze er precies goed uitzien. En als je wilde dat iets goed gebeurde, moest je het zelf doen.

Toen ze klaar was met de accenten rond haar ogen bewonderde Meilin haar werk. Het was een kunstwerk op een kunstwerk. Mensen zeiden altijd dat ze zo mooi was. Ze had nooit schmink nodig gehad om complimentjes te krijgen, maar nu reikte haar betovering verder dan haar natuurlijke schoonheid.

Iedereen kon de lichte basis en de opvallende lippen doen. Maar Meilin kende een paar trucjes die haar dienstmeisjes niet kenden: hoe ze de rouge goed moest laten vervagen op haar wangen, hoe ze gouden stipjes bij de ogen moest zetten, en hoe een zweem van onvolmaaktheid haar kapsel nog mooier maakte.

Meilin oefende een verlegen glimlachje, een opgetogen glimlach gevolgd door een verbaasde blik, en ten slotte een boze frons. Ze liet haar handen over haar nauwsluitende zijden jurk glijden en besloot dat ze klaar was.

Er werd aarzelend op de deur geklopt. 'Mevrouw?' vroeg een hoog stemmetje liefjes. 'Gaat alles goed? Kan ik u ergens mee van dienst zijn?'

Dat was Kusha's manier om haar beleefd te laten weten dat de feestelijkheden van deze Verbintenisdag gestokt waren. De belangrijkste mensen van het gewest zaten op haar te wachten.

'Ik ben bijna klaar,' antwoordde Meilin. 'Ik kom eraan.'

Meilin wilde de gasten niet té lang laten wachten, maar nu wist ze zeker dat alle ogen straks op haar gericht zouden zijn. De andere kandidaten hadden de Nectar al geproefd. Meilin zou hem als laatste drinken, de ereplek. Het was een volkswijsheid dat degene die als laatste de Nectar dronk de grootste kans had een totemdier op te roepen.

Als de dochter van generaal Teng, een van de vijf hoogste officieren van het Zhongese leger, was Meilin al sinds haar geboorte verzekerd van de laatste plek bij haar Verbintenisceremonie, die elke drie maanden werd gehouden. Het feit dat ze enig kind was maakte haar zelfs nog belangrijker. Ze had geen broer die haar haar geboorterecht kon afnemen.

Haar moeder had een totemdier opgeroepen, net als haar vier grootouders en haar acht overgrootouders. Haar vader, opa en twee van haar overgrootvaders waren generaals. Zelfs haar minst succesvolle familieleden waren alsnog machtige koopmannen geweest. Alleen de keizer zelf kon op een betere stamboom bogen.

Haar vader had geen totemdier opgeroepen, maar hij was toch hoger in militaire rang opgeklommen dan al zijn voorvaderen. Hij was een indrukwekkende man – niemand was listiger of opmerkzamer, of wraakzuchtiger als hij werd tegengewerkt. Haar vader had de vorige avond nog tegen haar gezegd dat hij in een visioen had gezien dat ze vandaag een totemdier zou oproepen. Meilin wist niet of hij bij een waarzegger was geweest of het zelf had gezien, maar hij was heel zeker van zijn zaak geweest en haar vader vergiste zich nooit.

Meilin pakte haar parasolletje. Het was van papier, met verfijnde schilderingen erop, puur voor de sier. Ze legde het op haar schouder en wierp een laatste blik in de spiegel.

Een zware vuist bonkte op de deur en ze keek geschrokken op. Dit was geen dienstmeisje.

'Ja?' zei Meilin.

'Bent u aangekleed?' vroeg een mannenstem.

'Ja.'

De deur ging open. Het was generaal Chin, de rechterhand van haar vader, in zijn allerofficieelste uniform. Was ze echt zo laat?

'Wat is er, generaal?'

'Het spijt me dat ik zomaar kom binnenvallen,' zei hij. Hij zweeg even en ging met zijn tong langs zijn lippen. Hij leek van slag, alsof hij niet goed wist hoe hij verder moest gaan. 'Ik heb... vervelend nieuws. De invasie van Zhong is begonnen. We moeten snel de ceremonie afhandelen en dan meteen vertrekken.'

'Invasie?'

'U hebt vast wel gehoord van de schermutselingen in het zuidoosten.'

'Ja, natuurlijk.' Haar vader had weinig geheimen voor haar. Maar hij had niet verteld dat er echt gevaar dreigde.

'We hebben zojuist gehoord dat die onrust slechts de voorbode was van een grote aanval. Uw vader had al voorbereidingen getroffen, maar onze vijanden hebben meer manschappen en materiaal dan generaal Teng had kunnen vermoeden.' Generaal Chin slikte. 'Shar Liwao is al ingenomen. We zijn officieel in oorlog.'

Meilin kon geen woord uitbrengen. Ze kon nauwelijks geloven dat het echt waar was. Shar Liwao was een van de grootste steden achter de Muur en een belangrijke Zhongese havenstad. Begonnen oorlogen altijd zo? Op dagen waarop iedereen vrolijk zou moeten zijn? Meilin voelde zich opeens helemaal niet lekker en wou dat ze alleen kon zijn. Haar vader zou straks waarschijnlijk al vertrekken. Zhong was een machtig land en haar vader was de beste generaal van heel Erdas. Het kwam vast goed. Maar haar vader had ook altijd benadrukt hoe onzeker een oorlog kon zijn. Een verdwaalde pijl kon de grootste held doen sneuvelen. In oorlogstijd was niemand echt veilig.

‘Is de hele stad gevallen?’ Meilin moest het vragen.

‘Ja. Er komen nog steeds berichten binnen. De aanval is bliksemsnel uitgevoerd door een verbond van Zhongese rebellen en buitenlandse indringers.’

‘Ik sla de ceremonie over,’ zei Meilin. ‘Dat komt later wel.’

‘Nee, we hebben het nieuws net gekregen. Het volk weet nog van niets. Dat willen we voorlopig zo houden. Zeg maar niets over de aanval. Alles moet rustig en normaal overkomen.’

Meilin knikte. ‘Goed, ik zal het meespelen. Maar dit is een noodsituatie. Vader kan toch vast gaan?’

‘Hij staat erop dat u voor zijn vertrek de Nectar drinkt.’

Meilin liep achter generaal Chin aan haar huis uit. Ze negeerde haar nieuwsgierige dienstmeisjes, die allemaal achter hen aan kwamen. Hun landhuis lag aan de paradeplaats, dus ze hoefden niet lang te lopen naar de ceremonie.

Met opengeklapte parasol wandelde Meilin over het middenpad naar het podium. Duizenden mensen volgden haar reikhalzend met hun blik. Generaal Chin liep naast haar met zijn glanzende onderscheidingen. Er werd gejuicht. Het leek een gewone feestelijke aangelegenheid. Deze mensen hadden geen idee welk onheil hun boven het hoofd hing.

Vlak bij het podium mochten de toeschouwers zitten in plaats van staan. Meer geld en status betekende meer gemak en luxe. Toen Meilin eraan kwam stonden zelfs de hoogwaardigheidsbekleders, kooplieden en regeringsmedewerkers op om te klappen.

Meilin probeerde zo ontspannen mogelijk te glimlachen. Als ze een gezicht herkende knikte ze even. Alles voelde wankel en nep. Ze vroeg zich af of de toeschouwers haar toneelspel zouden doorzien.

Een jongen naast het middenpad riep haar naam. Het was Yenni, met wie ze op school zat. Zijn vader was gewestbestuurder. Yenni had er nooit een geheim van gemaakt dat hij haar leuk vond, ook al was hij bijna drie jaar ouder. Ze schonk hem het verlegen glimlachje dat ze had geoefend. Zijn gezicht werd rood en hij grijnsde van oor tot oor.

Meilin had nog nooit een jongen gekust, hoewel er genoeg gegadigden waren. Ze vond het verschrikkelijk om als een soort trofee beschouwd te worden. Haar vader was een rijke, populaire generaal, en zij was ook nog eens mooi en verzorgd. Die jongens kenden haar helemaal niet. Ze was gewoon een mooie vangst, en het was onmogelijk te zeggen welk deel van die vangst ze het meest begeerden.

Ze vroeg zich af hoe ze zouden reageren als ze haar geheim ontdekten. Onder de schmink en de dure zijde was ze niet het sierlijke bloempje dat zij dachten. Ze was keurig opgevoed. Ze kon schilderen, thee serveren, tuinieren, gedichten voordragen, zingen. Maar het allerliefst deed ze in haar vrije tijd aan vechtsport.

Het was heel onschuldig begonnen, op haar vijfde. Haar vader was praktisch ingesteld. Hij kende de beste krijgers in heel Zhong en hij wilde dat zijn dochter een aantal basistechnieken leerde om zichzelf te kunnen verdedigen. Hij had nooit gedacht dat ze er zo veel talent voor zou blijken te hebben, of dat ze het zo leuk zou vinden.

Elk jaar was ze harder gaan oefenen. In het diepste geheim werd ze de zoon die haar vader nooit gekregen had. Ze kon vechten met messen, stokken en speren. Ze kon overweg met handbogen, kruisbogen en slingers. Maar haar lievelingsonderdeel was vechten met handen en voeten. Krap zes weken na haar elfde verjaardag kon ze zich al bijna meten met de grote meesters. Ze was tenger maar sterk. Eenmaal volwassen zou ze oprecht ontzagwekkend zijn.

Meilin hoopte dat haar totemdier haar nog beter zou laten vechten. Ze wist dat een sterke band met een totemdier allerlei verschillende krachten kon opleveren. Met behulp van het juiste dier werden goede krijgers groots en grootse krijgers legendarisch.

Welk dier zou het beste bij haar passen? Haar vader noemde haar de Kleine Tijger. Een tijger zou leuk zijn, of misschien een sneeuwpanter. Een os kon ook heel veel kracht geven. Ze probeerde niet te veel op één bepaald dier te hopen.

Het publiek juichte haar geestdriftig toe. Alleen de hoogste officieren wisten dat er een oorlog ophanden was. Binnenkort hadden ze allemaal wel iets anders aan hun hoofd dan een Nectarceremonie.

Toen ze bij het podium was klapte Meilin haar parasolletje in en gaf het aan een dienstmeisje. Ze zag haar vader vooraan in het publiek zitten, heel knap in zijn uniform, en ze schonk hem een beleefd knikje. Ze zag een goedkeurende blik in zijn ogen. Hij bewonderde haar kalmte.

Rondom het podium waren een heleboel beesten in kooien neergezet, een koninklijke verzameling wilde dieren met onder andere orang-oetangs, tijgers, panda's, vossen, krokodillen, kraanvogels, bavianen, pythons, struisvogels, ossen, waterbuffels en zelfs twee jonge olifanten. Haar gewest leverde altijd een bonte stoet beesten, maar zoveel als vandaag had ze nog nooit gezien. Daar had haar vader wel voor gezorgd.

Op het podium stond Sheyu te wachten, de leider van de plaatselijke Groenmantels. Hij was eenvoudig gekleed en aangezien zijn nevelpanter nergens te bekennen was, verkeerde die momenteel waarschijnlijk in rusttoestand. Als ze het zich goed kon herinneren droeg Sheyu zijn tatoeage op zijn borst.

Haar vader had gemengde gevoelens wat de Groenmantels betrof. Hij had respect voor ze, maar hij vond ook dat ze te veel macht bezaten en te veel banden met het buitenland hadden. Hij vond het maar niets dat ze als enige de Nectar beheerden en de drank gebruikten om zich over de hele wereld met iedereen te kunnen bemoeien.

Stiekem was Meilin erg onder de indruk van ze, en wel om heel eenvoudige redenen: het leger van Zhong liet geen vrouwen toe in zijn gelederen, maar de Groenmantels deden daar niet moeilijk over. Die beoordeelden mensen op hun kunnen.

Meilins oog viel op een onbekende vrouw die ook op het podium stond. Ze zag er buitenlands uit, zowel qua kleding als qua uiterlijk. Ze was blootsvoets en klein en mager, met die kwetsbare uitstraling die sommige mannen aantrekkelijk vonden. Door de veren in haar haar wist Meilin dat ze uit Amaya kwam. Naast de vrouw stond een exotische vogel op het podium.

Sheyu wenkte Meilin naar voren. Ze liep naar hem toe en vergat niet haar gezicht naar de toeschouwers te draaien. Het zag er altijd zo amateuristisch uit als kandidaten met hun rug naar het publiek gingen staan.

Op luide toon dreunde Sheyu de ceremoniële woorden op, dezelfde die hij altijd sprak. Meilin zei tegen zichzelf dat ze rustig zou blijven als haar vader zich vergist had en er geen totemdier zou verschijnen. Haar vader had het prima gered in het leven zonder totemdier – dan kon zij het ook.

Sheyu zette een jade karaf tegen haar lippen en Meilin nam een slokje. De warme drank was een onaangenaam bittere verrassing op haar tong en het kostte haar moeite om niet te kokhalzen. In plaats daarvan dwong ze zichzelf te glimlachen terwijl ze slikte. Een wankel ogenblik lang was Meilin bang dat ze zich zou verslikken door de smaak, en toen verspreidde zich een vurig gevoel door haar buik. De warmte straalde naar buiten en haar oren begonnen te tuiten.

De hemel was onbewolkt, maar het zonlicht verflauwde. Er was een felle flits en toen stond er opeens een zwart-witte panda naast Meilin op het podium. Het dier was groot voor zijn soort, met opvallende, zilverkleurige ogen, precies zoals Jhi op het Grote Zegel van Zhong.

De panda sjokte naar Meilin toe en ging rechtop staan om

haar voorpoten tegen Meilins ribbenkast te zetten. De felle warmte vloeide meteen weg.

Heel even voelde Meilin zich volledig ontspannen. Ze speelde geen rol meer voor het publiek, ze was gewoon zichzelf. Ze baadde in de warmte van de zon en genoot van de lichte bries die om haar heen speelde.

Toen was het moment voorbij.

Meilin staarde ongelovig naar haar nieuwe totemdier. Een reuzenpanda? Er werden nooit reuzenpanda's opgeroepen, want Jhi was een reuzenpanda geweest, en Jhi was een van de Koningsdieren, een van de Gevallenen. In een hoek van de paradeplaats stond een standbeeld van Jhi, heel groot en ook een beetje overdreven. Een panda was haast het tegenovergestelde van een tijger. Eerder schattig en dommig dan indrukwekkend of gevaarlijk. Wat moest een krijger met een panda? Bamboe leren eten?

Het publiek was doodstil. Meilin zocht haar vaders blik. Hij keek geschokt.

De Amayaanse vrouw was naast haar komen staan. 'Ik ben Lenori,' zei ze zacht. 'Ik kom je helpen.'

'Bent u een Groenmantel?'

'Ik draag er geen, maar ik ben er wél een. Besef je wat je hebt gedaan?'

'Ik hoor helemaal geen panda op te kunnen roepen.'

'Precies.' Lenori pakte Meilins hand en stak hem hoog in de lucht. 'Meilin heeft de voorspelling vervuld die bijna iedereen vergeten is! Jhi de Gevallene is teruggekeerd naar Erdas! Wij zullen allemaal...'

Lenori kon haar zin niet afmaken, want de alarmklokken begonnen te luiden, een gebeier van gongs dat aangaf dat er een noodsituatie was. Gespannen keek Meilin de paradeplaats rond. Had dit iets met de invasie te maken? Dat sloeg nergens op. Shar Liwao lag heel ver weg, achter de Muur van Zhong. Net op het moment dat Meilin bedacht dat haar gezicht niets mocht verraden, schalden de grote hoorns van de stad drie keer – lange, lage tonen die waarschuwden dat er onmiddellijk gevaar dreigde.

Het publiek kwam rumoerig in beweging. Meilin, die wist dat er nog steeds heel veel ogen op haar gericht waren, bleef roerloos staan en probeerde kalm te lijken. Dit was geen oefening, dat werd bevestigd door het hoorngeschal. Er was iets heel ergs aan de hand. Was dat een rookgeur? Door de hoge muren rond de paradeplaats kon ze niet goed zien wat zich daarachter afspeelde.

Toen barstte het gegil los. Aan het eind van de paradeplaats, achter de streng bewaakte stoelen van de hooggeplaatste gasten, werd gevochten. Mannen en vrouwen gooiden hun mantels af en riepen hun totemdier op. Omstanders werden geveld door zwaarden en bijlen. Terwijl de mensen elkaar verdrongen in hun haast om weg te komen, stormde er een stier door de menigte. Drie pijlen vlogen in een boog door de lucht en belandden met harde tikken op het podium.

Meilin lette niet op de pijlen, hoewel er eentje zo dicht bij haar lag dat ze ertegenaan kon schoppen. De invasie was toch heel ver weg, achter de Muur? Ze had wel iets opgevangen over rellen in de afgelegen steden, maar dat soort dingen kwamen in Jano Rion nooit voor. Dit was een beschaafde stad, en een van de sterkste steden van heel Zhong.

Met een flits bevrijdde Sheyu zijn totemdier. De nevelpanter brulde woest. Sheyu trok een handschoen aan met vier scherpe messen eraan. Met zijn andere hand greep hij Meilin bij de bovenarm en hij gaf een ruk om haar mee te krijgen. 'Ze komen vast voor jou!' riep hij.

Ze struikelde met hem naar de achterkant van het podium en probeerde ondertussen te zien wat er zich op de paradeplaats afspeelde. De wachters verzetten zich tegen de opstandelingen. Het was speer tegen zwaard en bijl tegen schild. Sommige wapens troffen doel. Mannen en vrouwen schreeuwden. Meilins vader had haar veel geleerd over veldslagen, maar tot nu toe had ze nog nooit iemand vermoord zien worden. In deze korte ogenblikken ving ze veel meer beelden van de dood op dan ze aankon. Het laatste wat ze zag voordat ze samen met Sheyu van het podium sprong was Kusha, een van haar dienstmeisjes, die met een pijl in haar rug op haar knieën viel.

Meilins vader was er al om haar op te vangen. Generaal Chin en Lenori stonden naast hem te wachten. 'Schiet op,' zei haar vader dringend. 'We moeten naar de toren, zodat we over de stad kunnen uitkijken.'

Zijn woorden brachten haar in beweging. 'Goed,' zei ze, en toen ze achteromkeek zag ze nog net hoe haar panda nogal lomp van het podium sprong. Jhi leek in elk geval ongedeerd.

Zou Kusha sterven door die pijl? Het had er heel akelig uitgezien.

Haar vader rende naar de deur achter het podium. Meilin en Sheyu volgden hem op de voet. Van de zijkant kwamen gewapende rebellen aangerend om hen tegen te houden. Er was ook een grote hond bij, en een rode panda, en een steenbok met lange, naar achteren gebogen hoorns.

Generaal Teng en generaal Chin trokken tegelijkertijd hun zwaard. Ze bogen vlak voor de deur af en gingen de rebellen te lijf. Sheyu trok een tweede handschoen met messen aan en voegde zich bij hen.

Meilin wilde ook helpen, maar zij had geen wapens en de vijand wel. Ze keek verwoed rond op zoek naar een wapen, maar ze zag niets wat ze kon gebruiken.

Generaal Chin en haar vader bevochten de vijand met dezelfde kalmte als in de oefenzaal. Ze werkten samen, sloegen aanvallen af, maakten korte metten met tegenstanders en schoten elkaar met snelle bewegingen te hulp. Sheyu en zijn nevelpanter doken zigzaggend tussen de rebellen door, waarbij ze aanvallen telkens op het nippertje ontweken en raak uithaalden naar hun belagers.

Lenori sleurde Meilin mee naar de deur. Jhi bleef dicht bij haar in de buurt. Toen er een tweede groep rebellen aan kwam rennen, trokken Sheyu en de generaals zich terug.

Generaal Chin maakte met een sleutel de deur open terwijl het bloed uit zijn schouder gutste. 'Vlug!' riep hij. Iedereen rende door de deur, waarna generaal Chin hem achter zich op slot deed.

Meilins vader begon te rennen en voerde hen door de tunnel in de muur rond de paradeplaats. Meilin bleef vlak achter hem. Door de dikke muur werd het lawaai op de paradeplaats gedempt en hun voetstappen klonken heel hard. Meilin keek over haar schouder en zag dat de vogel van Lenori met hen mee hupte en fladderde. De panda vormde de achterhoede en liep net hard genoeg om bij te blijven.

Meilin wist waar haar vader naartoe wilde. De hoge wachttoren op de hoek van de paradeplaats bood misschien wel het beste uitzicht over Jano Rion. Daar zouden ze een groot deel van de stad en de omgeving kunnen zien. Op die manier kon de generaal de situatie het best inschatten.

Terwijl ze door de gang stormden wilde Meilin eigenlijk van alles vragen, maar ze deed het niet. Als ze met z'n tweeën waren geweest, had ze dat misschien wel gedaan. Maar in dit gezelschap zou haar vader alleen iets vertellen als hij dat wilde.

De soldaten die bij de uitkijktoren op wacht stonden rechtten hun rug en salueerden toen haar vader eraan kwam. Hij salueerde kort terug en stapte op het liftplatform.

'Wat is dat?' vroeg Lenori argwanend.

'Een heel vernuftig apparaat,' legde Sheyu uit. 'Door tegengewichten wordt het platform helemaal tot boven aan de toren gehesen.'

Ze stapten allemaal het platform op. De panda aarzelde geen

moment. Meilin staarde in de zilverkleurige ogen terwijl het platform snel omhoogging. Ondanks het tumult om hen heen leek de panda heel kalm en griezelig slim. Meilin keek als eerste weg.

Toen het platform boven was, dirigeerde Meilins vader iedereen haastig naar het uitkijkpunt. Soldaten met verrekijkers bleven staan om te salueren.

'Laat je niet afleiden,' zei haar vader.

Er kwam een officier naar hen toe, maar haar vader wuifde hem weg, want hij wilde zelf kijken hoe de zaken ervoor stonden. Meilin stond met open mond naast hem en kon haar ogen nauwelijks geloven.

Jano Rion werd aangevallen. In en rond de hoofdstad van het gewest, een van de grootste steden van Zhong, woedden allerlei veldslagen. Een gigantisch leger stormde als een vloedgolf over de velden op de stadsmuren af. Rebellen beukten door groepjes verdedigers heen die zich probeerden te organiseren. Er renden dieren mee. Andere opstandelingen bereden zelfs dieren. Ze hadden zwaarden en speren bij zich, knotsen en bijlen. Waar kwamen deze mensen vandaan? Waarom had niemand iets gemerkt?

De stad brandde. Op minstens tien plekken zag Meilin zwarte rook omhoogkolken. De oude school waar ze les had gehad stond in lichterlaaie! Dat gebouw stond daar al eeuwen. Haar voorouders hadden er gestudeerd, en nu moest Meilin toekijken hoe het instortte. In de straten onder hen werd hevig gevochten. Meilin strekte haar nek om het beter te kunnen zien, maar er stonden te veel gebouwen en bomen voor.

Meilins hart kneep samen toen ze naar het onbewogen gezicht van haar vader keek. Ze zag dat hij geschokt was, maar hij wist het goed te verbergen. Als je hem niet goed kende, zou je niet meteen zien hoe groot zijn verbijstering was. Hij stak zijn hand uit naar een verrekijker en zette hem tegen zijn oog. Hij richtte zich eerst op een paar gebieden buiten de stadsmuren en vervolgens op de stad zelf.

'Wat hebben ze veel totemdieren,' mompelde hij.

Generaal Chin zette zijn eigen kijker tegen zijn oog. 'Ongekend. Zo'n leger is er niet meer geweest sinds...'

'Sinds de Verslinder,' vulde haar vader aan.

Meilin knipperde met haar ogen. De Verslinder was een legende uit het verleden, een monster uit sprookjes. Waarom zou haar vader daar nu opeens over beginnen?

'Waar komen al die lui vandaan?' vroeg Sheyu. 'Hoe kan dat leger over de Muur van Zhong gekomen zijn zonder dat ook maar één wachter het in de gaten heeft gehad?'

Meilin keek naar haar vader. Die vraag brandde ook op haar lippen. 'Ze dragen geen uniform,' zei hij. 'Ze hebben geen geweld gebruikt. Ik denk dat ze druppelsgewijs zijn binnengekomen, misschien hebben ze er wel jaren over gedaan. De meesten lijken Zhongees, maar niet allemaal. De organisatie van dit geheel gaat mijn verstand te boven. Ik zou zo'n enorme aanval nooit voor mogelijk hebben gehouden, maar toch zijn ze hier! Het grootste deel van ons leger is ver van Jano Rion langs de Muur gestationeerd. Op dit moment zijn veel manschappen op weg naar Shar Liwao. Maar dat was overduidelijk een afleidingsmanoeuvre.'

'Wat moeten we doen?' vroeg generaal Chin.

'Onze plicht,' zei generaal Teng. Met luide stem sprak hij: 'Laat ons alleen.'

De andere soldaten verlieten het uitkijkplatform. Sheyu pakte Lenori bij de arm en wilde ook vertrekken.

'Jullie niet, Groenmantels,' zei generaal Teng met een zachte grom. Hij legde zijn hand op Meilins schouders om haar te laten weten dat zij ook moest blijven.

Sheyu en Lenori kwamen dichterbij.

Meilin keek naar haar vader. Zijn blik gaf haar een ongemakkelijk gevoel. Ze probeerde haar knagende angst te onderdrukken.

'Jano Rion gaat vallen,' zei hij zonder omhaal. 'We hebben hier niet genoeg verdedigers om weerstand te kunnen bieden. Lenori, jij beweert dat Meilin de grote Jhi zelf opgeroepen heeft, het levende symbool van Zhong. Wat betekent dat? Wat wil je doen?'

'Ik zou haar graag naar onze leider brengen,' zei Lenori. 'Jhi is niet de eerste van de Vier Gevallenen die de afgelopen weken is teruggekeerd. Deze oorlog zal zich over heel Erdas verspreiden. We willen de Vier Gevallenen herenigen en samen terugvechten. Dat is onze enige kans.'

Meilin voelde haar vaders hand harder in haar schouder knijpen. De generaal knikte kort. 'Goed. Lenori, neem mijn dochter mee. Dit is nu niet de juiste plek voor haar. Sheyu, kun jij ervoor zorgen dat ze veilig aan boord gaan in de haven van Xin Kao Dai?'

Sheyu legde een vuist op zijn borst en boog zijn hoofd. 'Dat zou ik als een eer beschouwen.'

'Vader, ik wil niet weg!' riep Meilin. 'Laat me alstublieft hier bij u blijven. Ik wil onze stad verdedigen!'

'Het is hier niet veilig voor jou...'

'Waar ben ik veiliger dan bij de grootste generaal van heel Erdas?'

'En bovendien,' ging hij verder terwijl hij zijn hand opstak om haar de mond te snoeren, 'heb jij waarschijnlijk elders belangrijke verplichtingen.' Hij ging op zijn hurken zitten en keek haar recht aan. 'Meilin, ga naar die leider van de Groenmantels. Luister naar hem. Als hij verstandige dingen zegt en de weg voelt goed, verleen dan de hulp die nodig is. Als het niet goed voelt, zoek je een betere weg. En wat er ook gebeurt, vergeet nooit wie je bent en waar je vandaan komt.'

'Maar...'

Generaal Teng schudde zijn hoofd. 'Doe wat ik zeg.'

Meilin wist dat het gesprek afgelopen was. Haar lot was bezegeld. Hete tranen prikten in haar ogen. Ze keek naar het leger dat op haar stad afdenderde, en toen omlaag naar de verraders die op de paradeplaats huishielden. Moest ze echt weg om haar vader dit gevaar in zijn eentje te laten trotseren, terwijl zijn leger verdeeld en al half verslagen was?

Ze keek even naar Jhi. De panda beantwoordde haar blik met begrip en misschien ook iets van mededogen. Of verbeeldde ze zich het medeleven in die doordringende ogen maar? Meilin staarde naar de grond. Ze had geen behoefte aan begrip. Ze had behoefte aan kracht. Ze kon zich niet voorstellen dat deze panda haar zou helpen om beter te vechten, en dan moest ze vanwege dit dier ook nog eens met de Groenmantels mee.

Weg van huis. Weg van haar vader.

Beneden klonk geschreeuw. Een gewonde soldaat wankelde de trap op. 'Ze komen eraan! Het zijn er te veel!'

Meilins vader knikte. 'Hou ze zo lang mogelijk tegen.'

De soldaat draaide zich om en strompelde de trap weer af. Ze hoorden wapengekletter. Een dier schreeuwde. Generaal Chin liep naar de rand van de trap en trok zijn zwaard.

Meilins vader haalde de hendel over die de lift liet zakken en gebaarde naar een ladder die door de schacht omlaag liep. 'Klim omlaag naar de eerste tunnel. Op die manier zouden jullie langs de rebellen moeten kunnen komen. Ga meteen de stad uit.'

Meilin kon haar zorgen niet langer voor zich houden. 'Maar...'

Haar vader kapte haar met een ferm handgebaar af. 'Als generaal Chin en ik zeker weten dat jullie bij de tunnel zijn, zullen we zelf ontsnappen.' Hij schonk zijn dochter een gespannen glimlachje. 'Ik laat me niet door dit stelletje ongeregeld te grazen nemen. Je moet nu gaan.'

Hij duldde geen tegenspraak. Meilin wilde hem niet te schande maken door nog langer te smeken of te protesteren.

Meilin sloeg haar ogen naar hem op. 'Zoals u wilt, vader.'
De anderen stonden al op de ladder. Een beetje verbaasd zag ze dat Jhi zonder hulp naar beneden kwam. Toen Meilin haar voet op de bovenste sport zette, had de eerste tegenstander generaal Chin bereikt. Net voor haar hoofd in de schacht verdween, zag ze generaal Chin en haar vader met zwiepende zwaarden achteruitdeinzen, in het nauw gedreven door meerdere rebellen.
Ze zei niets. Als de vijand merkte dat ze naar beneden ging, deed haar vader al die moeite voor niets. Misschien kon hij nog ontsnappen. Hij was een geslepen man.
Met wazige ogen van de tranen voegde Meilin zich bij de anderen in de krappe tunnel. Sheyu pakte haar bij de hand en ging voorop.

Essix

Rollan treuzelde bij de hoek van de apotheek, met zijn rug naar de winkel gekeerd. Aan het eind van de keienstraat stonden Slimpie en Rooie naar hem te kijken. Rollan probeerde met zijn ogen duidelijk te maken dat ze niet zo veel aandacht op hem moesten vestigen. De boodschap kwam over en ze draaiden zich om.

Rollan was al sinds zijn vijfde wees en wist dat stelen er nu eenmaal bij hoorde als je wilde blijven leven. Toch probeerde hij het altijd zoveel mogelijk te voorkomen. Hij vond het niet erg om zich allerhande restjes toe te eigenen, want die werden anders toch weggesmeten. Mensen met geld lieten ongelooflijk veel dingen liggen en Rollan had allerlei handigheidjes ontwikkeld om kliekjes en weggegooide kleren te pakken te krijgen. Dat was hergebruik, geen diefstal.

Maar dit probleem kon niet opgelost worden met een beetje schooien. Van wilgenextract waren geen kliekjes. Daar was het te duur voor. Rollan en de jongens hadden wel een voorraadje gehad, dankzij Lange Vinger, maar dat was op. En nu had Graver hoge koorts. Ze hadden het kostbare medicijn aan minder erge ziektes verspild. Als ze hadden geweten dat dit eraan zat te komen, hadden ze wel wat bewaard, maar nu was het te laat.

Ze zouden niet zo in de penarie gezeten hebben als Lange Vinger niet gearresteerd was. Die knul kon jatten als de beste, en het leven was een stuk aangenamer geweest met hem in de buurt. Maar Lange Vinger was hebberig geworden en had zich steeds meer op echt waardevolle spullen gericht. De stadswacht had hem in de kraag gegrepen en achter slot en grendel gezet.

Rollan gluurde even over zijn schouder naar de apotheek. Net als bij veel andere winkels hing er een banier met Essix de Valk, het beschermdier van Amaya, boven de ingang. Graver had echt dringend hulp nodig. Hij gloeide van de koorts en het werd steeds erger. Zonder medicijnen ging hij misschien wel dood.

Met zijn armen over elkaar keek Rollan boos naar de grond. Hij vond stelen niet prettig, maar dat kwam niet doordat hij zo veel eerbied voor de wet had. Veel zwarthandelaren in Concorba waren rijk geworden over de rug van de armen, hadden mensen die toch al bijna niets bezaten alles afgenomen, en de wet beschermde dat systeem. Stelen was gewoon te gevaarlijk. Kinderen die betrapt werden op het stelen van een kleinigheid werden zwaar gestraft, vooral als je wat ouder was. Bovendien had Rollan zijn eergevoel. Zijn eigen versie daarvan tenminste: nooit van de armen stelen, nooit van de zieken en kreupelen, en altijd eerst proberen een andere oplossing te zoeken.

De andere jongens plaagden Rollan regelmatig omdat hij geen dingen wilde gappen. Ze hadden hem de bijnaam Eerlijk willen geven, maar daar had hij zich fel tegen verzet. Hij had alle bijnamen die ze geprobeerd hadden van zich afgeschud, en daarom was hij de enige jongen in de groep zonder.

Hoe hij het ook wendde of keerde, het ging heel lastig worden om iets uit de apotheek te stelen. De eigenaar stond bekend als een zeer onvriendelijke man. Zijn werknemers hielden alles in de gaten en droegen herrieschoppers zonder uitzondering over aan de stadswacht. Lange Vinger had het misschien gekund, maar Rollan en de anderen waren een stuk minder behendig dan hun vriend.

Rollan voelde zich heus niet te goed om om hulp te vragen. Bedelen had hem veel opgeleverd. Bepaalde bakkers en herbergen vonden het niet erg om oudbakken brood of andere onverkoopbare waar weg te geven. Maar het waren zware tijden en het zag er niet naar uit dat de situatie binnenkort zou verbeteren. Amaya was een jong werelddeel, nog grotendeels onontgonnen, en als de oogst mislukte of piraten de koopvaarders overvielen, werd de schaarste zelfs in een grote stad als Concorba binnen de kortste keren door iedereen gevoeld. En degenen die onder aan in de pikorde stonden voelden hem het ergst.

Er was geen tijd om genoeg geld bij elkaar te bedelen om het wilgenextract te kunnen kopen. Rollan had besloten dat hij zou proberen het extract te stelen: het leven van een vriend woog immers zwaarder dan de regels. Maar bij het zien van de winkel werd hij bang dat het hem nooit ging lukken. Moest hij het dan toch proberen?

Rollan had op alle mogelijke plekken om hulp gevraagd. Behalve bij de apotheek. Het zou vast niets opleveren, maar misschien was het toch nog beter dan het alternatief. Hij haalde diep adem en liep naar binnen.

De eigenaar, Eloy Valdez, stond in een wit schort achter de toonbank. Hij had borstelige grijze bakkebaarden en een kalend hoofd. Hij hield zijn blik meteen strak op Rollan gericht, die altijd de aandacht trok als hij ergens binnenkwam. Zelfs met zijn mooiste kleren aan was hij te jong en te haveloos.

Rollan liep recht op de man af. 'Goedemiddag, meneer Valdez.' Rollan zette zijn stralendste glimlach op. Hij wist dat hij onder het vuil een knappe jongen was, met zijn warrige bos donker haar en zongebruinde huid, maar het was wel een érg dikke laag vuil.

'Hallo,' antwoordde de man achterdochtig. 'Kan ik je ergens mee helpen?'

'Mij niet, maar een vriend van mij wel,' zei Rollan. 'Hij heeft heel hoge koorts. Het duurt al drie dagen en het wordt steeds erger. Ik ben een wees, hij ook. Hij heeft wilgenextract nodig. Ik heb geen geld, maar ik kan klusjes doen, helpen schoonmaken, wat u maar wilt.'

Meneer Valdez trok het ik-wou-dat-ik-je-kon-helpen-gezicht dat Rollan al zo vaak had gezien. 'Dat is een prijzig medicijn. En er is moeilijk aan te komen de laatste tijd, waardoor het nog duurder is geworden.'

'Ik kan heel hard werken,' bood Rollan aan.

Meneer Valdez zoog de lucht tussen zijn tanden door naar binnen. 'Je weet dat het slechte tijden zijn. Mijn twee assistenten regelen alles al. Ik heb geen extra klusjes en er staan genoeg mensen met een diploma te trappelen tot er hier een plekje vrijkomt. Het spijt me.'

Rollans wangen gloeiden van schaamte, maar Graver had hem nodig. 'Misschien kunt u toch iets bedenken? Om een stervende jongen te redden?'

'Jij wilt liefdadigheid,' zei meneer Valdez met samengeknepen ogen. 'Ik ben bang dat wij hier een strikt geen-liefdadigheidsbeleid voeren. Medicijnen zijn duur. Als die vriend van jou de enige armoedzaaier in de stad was die niet kon betalen, dan zou ik hem heus wel helpen. Maar er zijn zo veel mensen die in nood zitten en geen geld hebben. Als ik jou een gratis geneesmiddel geef, moet ik die anderen ook allemaal tegemoetkomen. Dan ben ik binnen een week failliet.'

'Ik zal tegen niemand zeggen hoe ik eraan kom,' beloofde Rollan. 'U kunt misschien niet iedereen helpen, maar hém wel. Alstublieft, meneer Valdez. Hij heeft helemaal niemand.'

'Gratis wilgenextract blijft nooit geheim,' zei meneer Valdez. 'En jouw verhaal is misschien wel waar, maar anderen liegen dat ze barsten. Hoe moet ik weten wie eerlijk is en wie niet? Ik kan je niet helpen. Tot ziens.'

Rollan werd weggestuurd. Wat kon hij nog doen? Als hij nu terugkwam, zou meneer Valdez hem nauwlettend in de gaten houden. Het extract stelen was geen optie meer. 'Hoe zou u het vinden als u helemaal alleen in een steegje lag, ziek, dakloos, terwijl niemand zich om u bekommerde?'

'Daarom leef ik niet op straat,' zei meneer Valdez. 'Daarom heb ik hard gewerkt om dit te bereiken, en daarom ben ik niet van plan dat op te geven. De zorgen van een bedelaar zijn mijn pakkie-an niet.'

'Hard werken houdt je niet altijd van de straat,' zei Rollan, die steeds gefrustreerder raakte. 'Het zal u ook niet altijd van de straat houden. Stel dat uw winkel afbrandt?'

Meneer Valdez keek hem wantrouwig aan. 'Is dat een dreigement?'

Rollan stak zijn handen in de lucht. 'Nee! Ik bedoel alleen maar dat iedereen pech kan hebben.'

'Aldo!' riep meneer Valdez. 'Deze jongen kan de deur niet vinden.'

Het was een verloren zaak. Rollan besloot dat het geen zin meer had om te proberen bij meneer Valdez in het gevlij te komen. 'En u kunt uw hart niet vinden. Ik hoop dat u zelf iets ongeneeslijks oploopt. Naast ouderdom dan.'

Een grote man met opgerolde mouwen over zijn dikke, harige armen beende vanuit de ruimte achter de winkel naar voren. Hij liep recht op Rollan af. Achter hem dook Slimpie onder de toonbank.

Hoe was Slimpie binnengekomen? Door de achterdeur? Waar was hij mee bezig? Zijn bijnaam was grappig bedoeld, niet als compliment. Straks werden ze allebei betrapt! Rollan probeerde niet naar zijn vriend te staren. In plaats daarvan keek hij naar de man die op hem af kwam.

'Ben je doof?' brulde Aldo. 'Wegwezen!'

Rollan schuifelde naar de deur en probeerde niet te snel te lopen. Hij moest ervandoor, maar als hij wegrende zou Slimpie zeker gepakt worden.

Aldo kwam dichterbij, greep Rollan ruw bij zijn nek en stampte met hem naar de deuropening. 'Ik wil je hier niet meer zien,' waarschuwde de grote man.

'Aldo!' riep meneer Valdez.

Rollan keek achterom en zag Slimpie naar de achterdeur sjezen.

'Hij heeft een doos wilgenextract gepakt!' schreeuwde meneer Valdez. 'Santos!'

Aldo sleurde Rollan mee naar de achterkant van de winkel. 'Als je niet onmiddellijk terugkomt, krijgt je vriend ervan langs!' brulde hij.

Slimpie keek niet eens om. Tegen de tijd dat Aldo bij de achterdeur was, was Slimpie al verdwenen.

'Santos!' riep meneer Valdez terwijl hij naast hen kwam staan. 'Waar is Santos?'

'Die moest die boodschap doen, weet u nog?' zei Aldo.

Meneer Valdez keek Rollan woedend aan. 'Al die praatjes dat je best wilde werken om voor dat spul te betalen – je stond me er gewoon in te luizen terwijl die handlanger van je naar binnen sloop. Dat is wel heel erg laag, zelfs voor tuig zoals jij.'

'Ik wist daar niks van,' zei Rollan wanhopig.

'Laat maar, knul,' zei Aldo. 'Jij hebt geholpen dat extract te stelen, dus dan zul je er ook voor boeten.'

Rollan schopte tegen Aldo's knie, maar de grote man gaf geen krimp. Rollan voelde de sterke hand in zijn nek.

'Jouw volgende afspraak is met de stadswacht,' zei meneer Valdez.

Rollan wist dat het geen zin had om tegen te sputteren. En Graver zou in elk geval zijn medicijn krijgen.

De stadswacht beschikte over een rij cellen in de kelder van hun hoofdgebouw. Schimmel tierde welig op de vochtige muren en op de verkleurde stenen vloer lag muf oud stro. De cellen werden van elkaar gescheiden door ijzeren tralies, zodat de gevangenen elkaar konden zien. Rollan zat op een half vergane rieten mat. In de andere cellen zaten nog drie mannen. Een van hen zag er ziek en uitgemergeld uit, een andere lag al de hele tijd te slapen en de derde was een kerel om wie Rollan normaal gesproken met een grote boog heen zou lopen. Die zat hier vast en zeker voor een ernstig vergrijp.

Een van de stadswachten had Rollan laten weten dat hij de volgende dag voor de rechter zou worden geleid. Hij was zo jong dat ze hem misschien terug naar het weeshuis zouden sturen, en bij de gedachte alleen al liepen de rillingen hem over de rug. Het weeshuis van Concorba was de ergste plek van de stad. De directeur kwam niets tekort omdat hij de kinderen nauwelijks te eten gaf, ze als slaven afbeulde, er als bedelaars bij liet lopen en nooit geld verspilde aan dingen als medicijnen. Rollan was niet voor niets weggelopen. Hij dacht dat hij misschien nog liever in de gevangenis zat.

Er ging een deur open en zware laarzen stampten de trap af. Werd er een nieuwe gevangene binnengebracht? Rollan kwam overeind om het beter te kunnen zien. Nee, de cipier was alleen. Het was een stevige man met stoppelwangen. Met een groot boek in zijn handen liep hij naar Rollans cel. 'Hoe oud ben jij?'

Was dat een strikvraag? Kon hij beter ouder of jonger zijn? Rollan wist het niet, dus gaf hij maar eerlijk antwoord. 'Volgende maand word ik twaalf.'

De man maakte een aantekening. 'Je bent wees.'

'Ik ben eigenlijk een verdwenen prins. Als u me terugbrengt naar Eura zal mijn vader u rijkelijk belonen.'

'Wanneer ben je uit het weeshuis weggelopen?'

Rollan dacht even na, maar zag niet in waarom hij zou liegen. 'Op mijn negende.'

'Heb je je Nectar gehad?'

Die vraag verbaasde hem een beetje. 'Nee.'

'Je weet wat er gebeurt als je de Nectar niet drinkt?'

'Dan kan er op natuurlijke wijze een verbinding tot stand komen.'

'Inderdaad. Volgens de wetten van de stad is het verplicht om binnen drie maanden na je elfde verjaardag de Nectar te drinken.'

'Nou, maar goed dat ik al in de cel zit dan. Zal ik u eens wat zeggen? Jullie zouden een wet moeten maken waarin staat dat elfjarigen niet mogen sterven aan medicijnengebrek!'

De cipier schraapte brommend zijn keel. 'Dit is geen spelletje, jongen.'

'Klinkt het als een spelletje?' vroeg Rollan. 'Hebt u wel eens in-je-eentje-doodgaan-van-de-koorts-omdat-wilgenextract-te-duur-is gespeeld? Zet het feit dat ik geen Nectar heb gehad maar gewoon op het lijstje misdaden die ik heb begaan. O, en even voor de duidelijkheid: niemand heeft het me ooit aangeboden.'

'De stadswacht geeft Nectar aan alle kinderen van elf en ouder die het nog niet gedronken hebben.'

'Jullie verdienen een medaille,' zei Rollan.

De cipier stak een bestraffend vingertje op. 'Als je het in je hebt om een totemdier op te roepen, zal dat vanzelf gebeuren als je twaalf of dertien bent. Maar zonder Nectar kan dat heel gevaarlijk zijn. Sommige mensen worden gek, andere ziek. Sommigen vallen ter plekke dood neer. Anderen hebben nergens last van.'

'Maar met de Nectar gaat het altijd goed,' zei Rollan.

'De Koningsdieren hebben de afgelopen tijd misschien niet zoveel voor ons gedaan, maar voor de Nectar zullen we Ninani altijd dankbaar blijven. Maar om er profijt van te hebben moet je het wel gebruiken.'

Rollan snoof. 'Hoe groot is de kans nou helemaal dat ik een dier oproep? Echt heel klein, zeg nou zelf.'

De cipier luisterde niet. 'Ik ken een Groenmantel die voor wezen zorgt. Ik stuur haar straks wel even langs.'

De cipier draaide zich om en liep de trap weer op. Rollan rekte zich uit, bewoog zijn bovenlijf naar links en rechts en strekte zijn handen uit naar het plafond.

'Ik had niet verwacht dat we vandaag een voorstelling zouden krijgen,' zei de magere man in de achterste cel. 'Wat denk je dat je zult krijgen?'

'Niks,' zei Rollan.

'Dat dacht ik ook,' zei de man. 'Verkeerd gedacht. Ik riep een egel op.'

'Bent u een Groenmantel?' vroeg Rollan verbaasd.

De magere man snoof. Zijn blik was wezenloos en hij maakte een afgepeigerde indruk. 'Zie jij ergens een mantel? Mijn dier is doodgegaan. En nu het er niet meer is... Ik was liever een arm of een been kwijtgeraakt.'

Een uur of twee later kwam de cipier terug met een aantal stadswachten in uniform en een jonge Groenmantel van een jaar of achttien. Haar gezicht was niet heel mooi, maar wel vriendelijk.

De cipier maakte de deur van de cel open en gebaarde dat Rollan naar buiten moest komen. Een van de stadswachten hield een kooitje vast met een rat erin.

Rollan stapte de cel uit en knikte naar de rat. 'Is dat een grap?'

'Ze zeggen dat er makkelijker een verbinding tot stand komt als er dieren bij zijn,' zei de stadswacht grijnzend. 'We hebben hem een paar jaar geleden gevangen. Hij is onze mascotte.'

'Heel grappig,' zei Rollan laconiek. 'Moeten we nog wat spinnen zoeken? Een kakkerlak misschien?'

'Er wordt nooit een verbinding gemaakt met insecten,' zei de Groenmantel, 'hoewel er wel gevallen bekend zijn waarbij spinachtigen zijn opgeroepen.'

'Ik durf er een koperstuk om te verwedden dat hij helemaal niets oproept,' zei de gevangene die Rollan in gedachten als gevaarlijk had bestempeld. De man klopte op zijn zakken. 'Twee koperstukken zelfs.' Hij haalde ze tevoorschijn. 'Iemand?'

Niemand nam de weddenschap aan.

'Zullen we dan maar?' stelde Rollan voor, om de ongemakkelijke stilte te doorbreken. Voor sommige kinderen was de oproepceremonie een hele gebeurtenis. Ze trokken hun mooiste kleren aan, hun familie was erbij, er kwamen mensen kijken, er werden toespraken gehouden en lekkere hapjes en drankjes geserveerd. Rollan stond in een smerige gevangenis met een rat, zijn bewakers en zijn medegevangenen. Hij wilde het zo snel mogelijk gehad hebben.

De Groenmantel pakte een eenvoudige veldfles. Ze schroefde de dop eraf en gaf hem aan hem. 'Eén slokje is genoeg.'

'Mooie toespraak,' zei Rollan terwijl hij de fles aanpakte. 'Je verspilt je talent in vochtige kelders. Volgens mij ben je klaar om bovengronds te gaan werken.' Hij nam een slok. Er was een herberg waar hij soms gesuikerd kaneelbrood kreeg, zijn lievelingslekkernij. De Nectar smaakte een beetje hetzelfde, maar dan in vloeibare vorm.

Rollan veegde zijn lippen af. Toen de Groenmantel haar hand weer uitstak naar haar fles, begon Rollan te wankelen. Vonken schoten door zijn lijf. Wat gebeurde er? Hij wilde de fles aangeven, maar zijn arm was slap. De Groenmantel nam de fles aan en Rollan viel op zijn knieën. 'Hoort dit erbij?' brabbelde hij.

De hele gevangenis rommelde en de gang werd donker. Of zag hij niets meer? Er verscheen een verblindend licht dat heel even bleef hangen, en toen was het weer weg.

Er was een valk bij hen gekomen, groot en sterk, met goudbruine veren en een witgespikkelde borst. Met klapperende vleugels sprong de roofvogel op Rollans schouder. Toen de klauwen zich in zijn huid boorden, hield het vonkende gevoel op. De anderen keken met stomheid geslagen toe.

Heel even leek Rollan uitzonderlijk scherpe ogen te hebben. Hij zag de gaatjes in het poreuze oppervlak van de stenen vloer en muren. Hij ontdekte een spin die zich ergens hoog in een hoekje tussen de spinnenwebben had verscholen en voelde de verbijstering van de mensen om hem heen ongewoon sterk. En toen was alles opeens weer normaal.

'Het is een valk!' zei de Groenmantel verwonderd. 'Een giervalk... met amberkleurige ogen!'

'Zé is een valk,' verduidelijkte Rollan. 'Het is een meisje.'

'Hoe weet je dat?' vroeg de cipier.

Rollan zweeg even. 'Dat weet ik gewoon.'

'Ja, het zal wel een vrouwtje zijn,' prevelde de Groenmantel. Ze leek uit een soort trance te ontwaken en keek Rollan onderzoekend aan. 'Hoe kan dit? Wie ben jij?'

'Ik ben maar een simpele wees,' zei Rollan.

'Hier is meer aan de hand,' mompelde ze, half tegen zichzelf.

'Ik ben ook een misdadiger,' opperde Rollan behulpzaam. 'Van de ergste soort, om precies te zijn.'

'Welke soort is dat dan?' vroeg de Groenmantel.

'De soort die gepakt wordt,' antwoordde Rollan.

De Groenmantel keek even naar de cipier. 'Stop hem weer in de cel. Ik kom straks terug.'

'Moet de vogel er ook bij?' vroeg de cipier.

'Uiteraard,' zei de Groenmantel. 'Dat is zijn totemdier.'

'Het is zeker mijn geluksdag vandaag,' mompelde de louche gevangene. 'Niemand heeft mijn weddenschap aangenomen. Kan ik m'n muntjes lekker zelf houden.'

Niet lang daarna bracht de cipier een man naar Rollans cel. De vreemdeling leek een soort buitenlandse edelman. Hij droeg hoge laarzen, leren armkappen, een mooi zwaard en een geborduurde blauwe mantel die waarschijnlijk meer had gekost dan een span paarden. De man had een keurig geknipte sik en keek Rollan belangstellend aan.

‘Zou je hier graag weg willen, Rollan?’ vroeg de man.

‘Misschien ga ik de kriebelmat en dat zwarte spul dat de tralies afgeven wel missen,’ zei Rollan. ‘Soms besef je achteraf pas hoe mooi je leven eigenlijk was.’

De man glimlachte, maar met een zweem van spot.

‘Waarom is uw mantel niet groen?’ vroeg Rollan.

‘Ik ben Duke Zerif,’ zei de man. ‘Ik werk samen met de Groenmantels, maar ik ben er geen. Ik schiet te hulp bij gevallen zoals jij.’

‘Gevallen zoals ik?’

Zerif wierp een zijdelingse blik op de cipier. ‘We kunnen dit gesprek beter onder vier ogen voortzetten. Ik heb je borg betaald.’

‘Best,’ zei Rollan.

De cipier maakte de deur van de cel open. Rollan stapte naar buiten, met de vogel op zijn schouder, en liep samen met Zerif weg, zwijgend, zonder nog naar de andere gevangenen om te kijken. Wat moest deze man van hem?

Toen ze op straat stonden, keek Zerif hem aan. ‘Dat is een fantastische vogel.’

‘Bedankt,’ bromde Rollan. ‘En nu?’

‘Vandaag begint je nieuwe leven,’ zei Zerif. ‘We hebben veel te bespreken.’

‘Dat mijn borg betaald is, betekent nog niet dat ik ben vrijgesproken. Hoe zit dat met meneer Valdez?’

‘De aanklacht wordt ingetrokken. Laat dat maar aan mij over.’

Rollan knikte even. ‘En het meisje dat me de Nectar heeft gegeven? Waar is zij nu?’

Zerif grijnsde arrogant. ‘Dit gaat haar kennis te boven. Zij is niet langer verantwoordelijk voor je. Kom.’

De valk gaf met haar klauwen een pijnlijk kneepje in Rollans schouder. Ondanks het gewicht was Rollan bijna vergeten dat ze er zat. Door het moment waarop ze hem geknepen had en de manier waarop Zerif over het meisje praatte kreeg Rollan een naar voorgevoel. 'Gaat het wel goed met haar?'

Sloop er iets van waardering in de grijns van Zerif? 'O, vast wel.'

Hij loog en Rollan wist het. Zerif leek zelfs onder de indruk van het feit dat Rollan het niet vertrouwde. Rollan wist akelig zeker dat Zerif het meisje iets had aangedaan. Wie was deze man?

Zerif loodste hem haastig over straat. 'Waar gaan we heen?' vroeg Rollan.

'Naar een plek waar we rustig kunnen praten. En daarna ver hiervandaan, als je dat wilt. Heb je er wel eens van gedroomd om over de hele wereld te reizen? Met jouw vogel kan dat nu.'

De valk slaakte zo'n harde kreet dat het pijn deed aan Rollans oren. Zerifs ogen schoten van de vogel naar Rollan en weer terug en zijn glimlach verflauwde een beetje.

'Ze mag jou niet,' besefte Rollan.

'Ze probeert gewoon haar roep uit,' antwoordde Zerif. 'Ik heb geen kwaad in de zin.' Rollan durfde er twee koperstukken om te verwedden dat hij loog. Zerif klonk ontspannen, maar Rollan wist zeker dat hij deed alsof. En hij droeg een angstaanjagend groot zwaard.

'Wat doet die vrouw daar?' vroeg Rollan en hij wees naar de overkant van de straat. Toen Zerif zich omdraaide om te kijken, nam Rollan de benen. Ze waren net langs een steegje gekomen en hij rende terug en schoot de hoek om. Halverwege het steegje keek Rollan even over zijn schouder en zag dat Zerif met wapperende blauwe mantel achter hem aan kwam. De man had zijn mouw opgetrokken en de tatoeage op zijn onderarm lichtte op. Een hondachtig dier sprong in vliegende vaart voor Zerif op de grond. Wat was dat? Een coyote?

Rollan had gehoopt dat de deftige vreemdeling zich te goed zou voelen om achter hem aan te komen. Blijkbaar niet. Maar de coyote bewees dat Zerif een Getekende was. Misschien was hij toch wel een Groenmantel. Dat nam niet weg dat Rollan en de vogel hem geen van beide vertrouwden. Hij moest die kerel kwijt zien te raken, en snel ook.

Rollan was al vaker door smalle steegjes ontsnapt. Hij rende zo hard hij kon en stak zijn handen uit om kisten en vuilnisbakken om te gooien en zo zijn achtervolgers de weg te versperren. Het mocht niet baten, want hij hoorde ze steeds dichterbij komen. Hij dacht aan de coyotetanden en Zerifs dure zwaard en zijn benen gingen nog sneller.

Hij sloeg een hoek om en holde een nieuw steegje in. Af en toe kwam hij langs een deur, maar die durfde hij dan niet te proberen uit angst dat hij op slot zou zitten, of dat degene aan de andere kant hem niet zou willen helpen. Uit ervaring wist hij dat een wees op de vlucht op weinig hulp hoefde te rekenen. Hij keek omhoog, op zoek naar een uitweg via de daken, maar die zag hij niet. De man en de coyote liepen nog steeds op hem in.

Verderop zag Rollan links van hem een hek tussen twee gebouwen. Hij sprong, greep de houten bovenkant vol splinters vast en zwaaide zijn been eroverheen. Grauwend deed de coyote een uitval naar het been dat nog in het steegje bungelde. De tanden scheurden zijn broekspijp kapot en schraapten over zijn huid, en hij werd bijna naar beneden gesleurd.

'Kom hier!' beval Zerif terwijl hij met getrokken zwaard naar voren rende.

Rollan rolde over het hek en viel op een binnenplaats vol onkruid, met een schuurtje in de hoek. Een haveloze man staarde hem vanuit de schaduwen van zijn bouwval onvriendelijk aan. Rollan krabbelde overeind en spurtte de binnenplaats over naar het hek aan de andere kant. Halverwege keek hij even om. De coyote had inmiddels over het plaatsje de achtervolging ingezet, maar Zerif was nergens te bekennen. Had hij zijn totemdier over het hek gegooid? Rollan speurde het braakliggende terrein af naar iets wat hij als wapen kon gebruiken, maar er lag niets.

De coyote kwam steeds dichterbij. Rollan wist dat het heel lastig ging worden om ongeschonden het hek te halen. Het zou hem nooit lukken om eroverheen te klimmen zonder verscheurd te worden.

Toen Rollan bij het hek was, sprong hij op en pakte met beide handen de bovenkant vast, alsof hij eroverheen wilde klimmen, maar midden in de lucht draaide hij zich om om de aanvallende coyote hard tegen zijn snuit te schoppen. De trap was goed raak en de coyote viel jankend op de grond. Voordat het dier was bijgekomen, was Rollan al over het hek geklommen.

De steeg waarin hij terechtkwam was een stuk breder dan de vorige. Terwijl Rollan zich afvroeg welke kant hij op zou gaan, schoot Zerif een eind verderop de hoek om. De man sprintte met bovenmenselijke snelheid op hem af en Rollan wist dat hijzelf lang niet zo hard kon rennen. In de tijd die Rollan nodig had gehad om het plaatsje over te steken was Zerif bijna het hele huizenblok om gerend. Rollan had wel eens gehoord over de krachten die de Getekenden konden verkrijgen door de band met hun dieren. Hoe moest hij aan zo iemand ontsnappen? Hij draaide zich om en rende de andere kant op.

Toen hij weer een hoek omsloeg zag Rollan opeens een grote man in een mosgroene mantel op een eland. Er was geen tijd om het bizarre tafereel tot hem door te laten dringen. De eland galoppeerde op hem af; zijn enorme gewei was bijna net zo breed als de steeg. De grijze man die het dier bereed, was zwaargebouwd en had een bol gezicht met een volle baard. In zijn ene hand had hij een knots vast. Onder zijn mantel rinkelde een maliënkolder.

'Aan de kant, jongen!' brulde de Groenmantel.

Rollan sprong opzij en drukte zich plat tegen de muur van het steegje terwijl de eland voorbij denderde. Hij hoorde een schril gekrijs en het schrapende geluid van klauwen op metaal toen zijn vogel op het dak landde.

Zerif en de coyote stoven de hoek om, maar kwamen slippend tot stilstand toen ze de eland zagen. De Groenmantel slaakte een oorlogskreet en hief zijn knots. Zerif beukte met zijn schouder de eerste de beste deur open die hij tegenkwam, waarschijnlijk de achteringang van een winkel, en verdween naar binnen. De Groenmantel bleef even staan, alsof hij hem wilde achtervolgen, maar reed toen terug naar Rollan.

'Hoe noemde hij zich?' blafte hij.

'Die man? Zerif.'

'Dat was in elk geval niet gelogen. Kende je hem?'

'Ik heb hem net pas ontmoet. Hij heeft mijn borgsom betaald om me uit de gevangenis te krijgen.'

De man steeg af. 'Wat heeft hij tegen je gezegd?'

'Niet zoveel,' zei Rollan. 'Hij wilde me meenemen.'

'Dat geloof ik best,' zei de man. 'Wij noemen Zerif "de jakhals", naar zijn totemdier, een sluw wezen uit Nilo. Hij werkt voor onze aartsvijand, de Verslinder.'

'De Verslinder?' vroeg Rollan. Het klonk zo ongeloofwaardig dat hij zich bijna verslikte. 'Serieus? Wie bent u eigenlijk?'

'Ik heet Olvan.'

Rollan keek naar de reusachtige eland en weer terug. Niet waar. Dat kon niet. 'Dé Olvan?' vroeg hij op een geschokte fluistertoon.

'Als je daarmee de leider van alle Groenmantels ter wereld bedoelt, dan inderdaad, dé Olvan.'

De giervalk stootte een kreet uit en zeilde naar Rollans schouder. Rollan stak zijn hand omhoog om haar veren te aaien. Na een lange stilte zei hij: 'Opeens wil iedereen vrienden met me worden. Jullie waren er allebei wel erg snel bij. Heeft dat iets met mijn valk te maken?'

'Ze is jouw valk niet, knul. Ze is dé Valk.' Olvan liet de woorden even bezinken. 'Je hebt Essix teruggeroepen.'

Training

Abeke ging op de rand van het donsbed zitten. In haar kamer stonden een krullerig houten bureau, een weelderige bank, zachte stoelen en een spiegel met een lijst die misschien wel van echt goud was – allemaal voor haar. Iedereen die ze tegenkwam behandelde haar met eerbied en een bediende kwam heerlijke maaltijden brengen. Haar luipaard had haar in een prinses veranderd.

De kamer wiegde zachtjes heen en weer. Dat zulke luxe kon bestaan op een schip! Als Abeke het niet met eigen ogen had gezien, had ze het niet geloofd.

Ze vond het leuk om zo hoffelijk behandeld te worden, maar ze voelde zich niet op haar gemak in de overdadige kamer. Het was allemaal heel anders dan thuis, zonder vertrouwde gezichten of gebruiken.

Zerif was niet meegegaan op reis. Bij de haven had hij uitgelegd dat hij dringend ergens anders heen moest en had hij haar toevertrouwd aan een onbekende jongen, Shane. Nu ze alles achter zich had moeten laten deed dit afscheid extra veel pijn.

Minder dan een week geleden had Zerif haar vader ervan overtuigd dat Abeke weg moest uit Okaihee, niet alleen voor haar eigen veiligheid, maar ook omdat het beter was voor het dorp. Pojalo had meteen ingestemd. Ergens had Abeke het fijn gevonden als haar vader wat meer moeite met die beslissing gehad zou hebben. Onwillekeurig vroeg ze zich af of hij Soama ook zo makkelijk had laten gaan. Met goedkeuring van haar vader had Zerif Abeke en Uraza diezelfde nacht nog het dorp uit gesmokkeld.

Abeke had er spijt van dat ze voor haar vertrek niet meer met Chinwe had gepraat. Chinwe had gedacht dat Abeke de nieuwe Regendanser van het dorp zou worden. Die hadden ze hard nodig. In de haast om het advies van Zerif op te volgen, had ze haar gemeenschap in de steek gelaten. Stel dat de droogte door haar afwezigheid zou aanhouden? Stel dat ze zich had onttrokken aan haar lotsbestemming? Stel dat dit haar enige kans was om eindelijk te laten zien dat ze in het dorp thuishoorde?

Ondanks alle gemakken op het schip miste Abeke haar vader en zus. Thuis hadden ze allemaal in dezelfde kamer geslapen. Ze hadden een dagelijkse routine, ze aten samen, en Abeke was gewend om bij het geluid van haar vaders gesnurk in slaap te vallen. Op het schip lag Abeke elke avond wakker. Alles was hier vreemd.

In het begin was er geen tijd geweest voor heimwee door alle nieuwe indrukken: een spannende rit in een koets, een drukke stad, een zee met eindeloos veel water dat te zout was om te drinken, en toen een schip dat groot genoeg was om haar halve dorp te vervoeren. Pas toen ze uit de haven vertrokken waren, was Abeke onrustig geworden. Toen had ze tijd om na te denken. Tijd om het sluipen over de savanne te missen. Tijd om naar bekende gezichten te verlangen.

Gelukkig had ze Uraza. Abeke woelde door het nekvel van de luipaard en de grote kat snorde; haar handpalm trilde ervan. Uraza was niet erg aanhalig, maar ze vond het altijd goed dat Abeke haar aaide.

Er werd op de deur geklopt. Dat was vast Shane. Hij was het tweede leuke onderdeel van de reis. Met zijn hulp leerde ze hoe ze haar band met Uraza kon versterken.

'Binnen,' zei Abeke.

Shane deed de deur open. Hij was twaalf, dus maar een jaar ouder dan zij. Hij was bleek maar knap, met een gespierde bouw en een ontspannen houding die ze bewonderde. Net als zij had hij ook een totemdier: een veelvraat.

'Klaar voor het ruim?' vroeg hij.

'Ik dacht dat je nooit zou komen,' zei Abeke. 'Ik ben het niet gewend om opgesloten te zitten.'

Hij bleef even in de deuropening naar haar staan kijken. 'Het valt niet mee om je vertrouwde omgeving achter te laten. Ik moest ook weg bij mijn ouders. Mijn oom heeft me opgeleid, maar die is hier ook niet.'

'Mijn moeder is vier jaar geleden gestorven,' vertrouwde Abeke hem toe. 'Zij was de enige die me echt begreep. Met mijn vader en mijn zus was het... anders. Maar ik mis hen wel. Ik weet dat ze om me geven, net zoals ik om hen geef.'

Shane keek haar vol mededogen aan. 'Hier geven mensen ook om je, Abeke. We denken dat je een grote toekomst voor je hebt. Mensen die zoals wij een zware last dragen, vinden overal familie. Je hebt je totemdier. Daar zul je ook veel troost in leren vinden. Kom.'

Uraza liep achter hen aan de kamer uit. Alle matrozen en soldaten die ze passeerden wierpen heimelijke blikken op de luipaard. Uraza bewoog zich met de lenige souplesse van een gevaarlijk roofdier en iedereen bleef een beetje bij haar uit de buurt. Zelfs de dapperste opvarenden gaven haar de ruimte, terwijl anderen een omweg namen om haar maar niet te hoeven tegenkomen. Al na vier dagen op zee had Abeke geleerd om al die aandacht te negeren.

Shane had het ruim zo ingericht dat het als oefenlokaal gebruikt kon worden. Kisten, balen en vaten waren aan de kant geschoven om een grote open ruimte te creëren. Niemand zou hen hier storen.

'Heb je al veel tegen Uraza gepraat?' vroeg Shane. 'Om te laten zien dat je op haar gesteld bent?'

'Ja,' zei Abeke.

'Alle totemdieren zijn zeer intelligent,' hielp hij haar herinneren. 'Maar die van jou zal nog veel slimmer zijn dan de andere.

Ze kan niet praten, maar dat wil nog niet zeggen dat ze je niet begrijpt.'

'De Koningsdieren konden wel praten,' zei Abeke terwijl ze het laadruim in liep. 'In de verhalen in elk geval wel.'

'In de tijd van de Koningsdieren was Uraza groter dan een paard,' zei Shane.

'Is mijn Uraza dan een welp?' vroeg Abeke. De sterke luipaard zag er niet bepaald uit als een jong dier.

'Totemdieren komen altijd als volwassen dier,' zei Shane. 'Het is moeilijk te voorspellen of Uraza weer precies zo zal worden als ze ooit was. De tijd zal het leren.'

Abeke draaide zich om naar Uraza. De luipaard keek haar met fonkelende paarse ogen aan.

'Kun je zeggen hoe ze zich voelt?' vroeg Shane.

'Ik weet het niet zo goed,' zei Abeke terwijl ze in Uraza's ogen staarde. 'Geïnteresseerd misschien?'

'Dat klinkt logisch,' zei Shane. 'Hoe meer je oefent, hoe beter je haar emoties zult aanvoelen. Dat is de eerste stap om in noodgevallen haar energie te kunnen lenen.'

'En de rusttoestand?' Abeke was altijd onder de indruk geweest als Chinwe haar gnoe in een tatoeage op haar been veranderde.

'Uraza bepaalt zelf wanneer ze daar klaar voor is,' zei Shane. 'Je moet haar vertrouwen winnen. Ze gaat vrijwillig de rusttoestand in, maar ze kan er alleen uitkomen als jij haar weer loslaat.'

'Laat jij je veelvraat de hele tijd slapen?' vroeg Abeke. Eén keer had Shane op haar aandringen een beetje verlegen de rand van een teken hoog op zijn borst laten zien.

'Meestal wel. Renneg kan heel goed vechten, maar hij houdt niet zo van andere dieren. Als Uraza het goedvindt, kun je zelf kiezen waar het teken zal komen. Veel mensen kiezen hun arm of de rug van hun hand. Dat is wel zo handig.'

Abeke had de veelvraat alleen gezien toen ze aan boord van het schip gingen. Hij was gedrongen, maar zag er erg fel uit.

Shane hield een korte houten stok omhoog. 'Gisteren hebben we genoeg met pijl en boog geoefend. Dat ging goed, maar ik had niet het gevoel dat je door Uraza beter werd. Ik stel voor dat we vandaag iets moeilijkers proberen. We doen net alsof dit een mes is, en jij hoeft alleen maar te proberen mij neer te steken.'

Hij gaf Abeke de stok. Abeke liep naar Uraza toe en knielde voor haar neer. De luipaard lag languit op de grond, haar lijf gekromd, met opgeheven kop en een traag zwiepende staart. Abeke keek naar de volmaakte vlekkenvacht, de zwarte rand rond haar schitterende ogen en de gespierde kracht van het slanke lichaam. Hoe was het mogelijk dat zo'n sterk, wild wezen haar metgezel was? Uraza keek strak terug.

Voorzichtig aaide Abeke een van haar voorpoten. 'We moeten het nu samen doen. Of we het nu leuk vinden of niet, we zijn allebei ver van huis, maar gelukkig hebben we elkaar. Ik merk dat je het niet fijn vindt op het schip. Ik ook niet. Maar het brengt ons alleen maar naar een plek waar we weer buiten kunnen zijn. Ik vind je echt heel erg aardig: je bent rustig, niet opdringerig en we komen allebei van de savanne. Ik wil graag met je leren samenwerken.'

Uraza begon te spinnen en Abeke kreeg kriebels in haar buik. Verbeeldde ze het zich of kregen ze echt een band? Het was lastig met zekerheid te zeggen.

Abeke draaide zich om naar Shane.

'Als je zover bent kunnen we beginnen,' zei hij uitnodigend.

Abeke schuifelde naar voren met de stok voor zich uit gestoken. Thuis had ze wel eens een speer gebruikt en vaak geoefend met pijl en boog. Hoe ze met een mes moest vechten wist ze niet zo goed.

Er leek geen praktische manier om een grotere, meer ervaren tegenstander te lijf te gaan. Ze zou iemand als Shane nooit van voren benaderen. Ze zou alleen kunnen winnen door hem stiekem te besluipen en van achteren toe te slaan. Als het haar lukte hem te overvallen was de kans dat ze hem versloeg veel en veel groter.

Maar nu waren ze gewoon aan het oefenen. Ze moest vechten volgens de regels van Shane. Misschien zou ze door Uraza iets roofdierachtigs krijgen waardoor ze opeens veel beter werd.

Toen Abeke dichterbij was stak ze kort toe. Shane draaide zich van haar af en gaf haar een klap op haar pols. Nog drie steken, en nog drie klappen. Ze voelde geen hulp van Uraza. 'Dit heeft geen zin,' kreunde Abeke terwijl ze haar armen liet zakken.

'Je moet gewoon...'

Ze sprong op hem af en stak hard toe, in de hoop hem te verrassen. Shane ontweek haar aanval en pakte haar pols. Een korte worsteling volgde en in gedachten vroeg Abeke Uraza om hulp. Shane wrong de stok uit haar vingers en prikte haar in haar buik.

'Goed geprobeerd,' zei hij. 'Ik stond te slapen.'

'Ik zou je in het echt nooit op deze manier aanvallen,' zei Abeke. 'Dan zou ik je besluipen.'

Shane knikte. 'Dat is ook verstandiger. En het past ook beter bij de manier waarop een luipaard jaagt. Weet je wat? Ik ga aan de andere kant van het ruim staan, met mijn rug naar je toe. Ik draai me alleen om als ik iets verdachts hoor. Goed?'

Abeke knikte. Dit spelletje sloot meer aan bij wat ze al kon.

Shane gaf haar de stok terug en wandelde naar de andere kant van de ruimte. Abeke sloop voorovergebogen op hem af, haar nepmes in de aanslag. Stap voor stap kwam ze dichterbij.

'Ben je al begonnen?' vroeg Shane zonder om te kijken. 'Zo ja, dan ben je hier goed in. Zo nee, schiet dan een beetje op – we hebben niet de hele dag de tijd.'

Abeke onderdrukte een glimlach. Ze wist dat ze een uitmuntende jager was en het was fijn dat Shane dat bevestigde. Toen ze over haar schouder keek zag ze dat de luipaard haar aandachtig in de gaten hield, waakzamer dan eerst.

De deur naast Shane vloog open en er rende iemand op hem af. De gemaskerde aanvaller droeg een zwarte mantel en zwaaide met een kromzwaard. Shane dook net op tijd weg en ging de aanvaller te lijf.

'Vlug, Abeke!' schreeuwde Shane. 'Het is een moordenaar. Ga de kapitein halen!'

De moordenaar was groter dan Shane en ze worstelden samen om het zwaard.

Abeke merkte dat ze diep door haar knieën zakte – een onbekende, instinctieve houding. Er laaide een vreemde energie op in haar spieren; elke vezel in haar lichaam leek strak te staan, klaar om in actie te komen. Haar zintuigen waren nog nooit zo scherp geweest. Ze hoorde het zachte gekraak van de houten balken toen het schip licht naar rechts helde. Ze rook de aanvaller, een volwassen man, en kon hem en Shane makkelijk van elkaar onderscheiden. Bovendien zag ze ook beter, scherper. Ze was absoluut niet van plan om Shane's bevelen op te volgen en te vluchten.

Haar hart zwol op van moed. En ze viel aan.

Ze stond meerdere passen bij Shane vandaan, maar ze overbrugde de afstand met één grote sprong. Midden in de lucht haalde ze uit met haar been en gaf de aanvaller een trap tegen zijn arm. Hij viel op een knie, en zijn zwaard vloog uit zijn handen en kletterde op de houten vloer. De man kwam overeind en gaf een gemene opstoot die Abeke haast werktuigelijk ontweek. Hij deed een paar stappen naar achteren, met één hand omhoog, klaar om te vechten, maar zijn andere hand hing slapjes langs zijn zij. Abeke sprong naar voren en schopte hem in zijn ribben. Haar voet trapte dwars door zijn afweerpoging heen en raakte de man zo hard dat hij tegen de muur vloog. Daar zakte hij voorover op de grond.

Haar instincten schreeuwden dat ze het karwei moest afmaken, maar voordat Abeke naar hem toe kon gaan voelde ze een stevige hand op haar schouder. 'Niet doen, Abeke! Genoeg! Het was niet echt. Hij deed maar alsof.'

Abeke kwam weer tot zichzelf en keek Shane boos aan. 'Hoe bedoel je?'

Uraza gromde dreigend, iets wat Abeke haar nog niet eerder had horen doen.

'Ik wilde weten hoe je onder druk zou presteren,' legde Shane uit. 'En het heeft gewerkt, Abeke. Ongelooflijk! Veel Getekenden oefenen hun hele leven zonder ooit zo'n aanval te kunnen uitvoeren.'

Abeke stond te trillen van de adrenaline en probeerde rustig te worden. Ze hoorde het compliment wel, maar het was moeilijk te bevatten doordat ze zich zo verdwaasd voelde. 'Je hebt met bedrog een reactie uitgelokt,' zei ze. 'Dat heet verraad.'

'Ik... Het spijt me.' Shane's gezicht betrok. Zijn opwinding maakte plaats voor schaamte. 'Ik wilde je alleen maar helpen. Het was een oefenmethode. Ik wist niet dat je het zo zou opvatten.'

'Als je dat nog één keer doet,' zei Abeke met ingehouden woede, 'laten we je aanvallers de volgende keer gewoon hun gang gaan.'

'Afgesproken.' Shane haalde zijn hand door zijn haar. 'Je hebt gelijk, het was niet eerlijk tegenover jou en Uraza. Het zal niet meer gebeuren.'

Abeke voelde de spanning een beetje wegebben. Ze knikte naar de aanvaller die op de grond lag. 'Komt het wel goed met hem?'

Shane knielde naast de man neer en voelde aan zijn hals. 'Hij is bewusteloos, maar hij overleeft het wel.' Hij schudde zijn hoofd. 'Ik had echt nooit gedacht dat je een ervaren, volwassen tegenstander zou kunnen uitschakelen. Ik regel dit wel. Ga jij maar terug naar je hut.'

Abeke draaide zich om en daar stond Uraza, die geruisloos

naar haar toe gekomen was. Nu was het overduidelijk dat ze elkaar zonder woorden begrepen. Abeke stak haar arm uit. Uraza sprong en veranderde met een brandende pijn en een korte flits in een zwarte vlam vlak onder haar elleboog.

Schemerslot

Met zijn hoofd in zijn nek en een hand boven zijn ogen tegen de zon keek Rollan naar zijn vliegende valk. Essix zeilde in brede cirkels hoger dan de hoogste piek van het Groenmantelkasteel door de lucht.

Het gras kwam tot Rollans knieën. Er waren oefenlokalen en ruime binnenplaatsen in Schemerslot, maar hij was liever buiten. In het kasteel werd hij door veel te veel mensen aangestaard, door sommigen bedenkelijk en door anderen verwachtingsvol. Van beide reacties raakte hij in de war.

Bovendien was het buiten veel mooier. Concorba was in de verte wel omringd geweest door natuur, maar daar kwam hij nooit. Er waren een paar parken in de stad, een paar overwoekerde tuinen, en de modderige oevers van de rivier de Sipimiss, maar in de havenstad werd toch vooral handelgedreven. Rollan had wel eens akkers gezien buiten de stad, maar niets wat hier op leek: geen hoge heuvels, geen bossen, geen velden.

Schemerslot, een indrukwekkende verzameling hoekige torens en gebouwen omringd door hoge muren van zware steen, was niet het belangrijkste Amayaanse bolwerk van de Groenmantels. Het was hun meest westelijke buitenpost in het noorden van Amaya. Nog verder naar het westen lag onontgonnen wildernis, het territorium van dieren en Amayaanse stammen.

Rollan floot. 'Essix, hier komen!'

De vogel bleef op de hoge luchtstromen zweven.

'Essix, hier!'

De valk maakte nog een lome bocht.

‘Kom hier! Ik geef je een heel simpele opdracht, zo moeilijk is dat toch niet? Je lijkt wel een dom kind.’

Dat had hij niet moeten zeggen. Essix leek nu expres nog verder weg te vliegen. Rollan haalde diep adem om rustig te worden. Hij had inmiddels al geleerd dat de vogel de hele dag bleef vliegen als hij boos naar haar schreeuwde. ‘Essix, alsjeblieft,’ zei hij een stuk milder. ‘Olvan wil dat we leren samenwerken.’

De valk vouwde haar vleugels in en schoot op hem af. Hij stak zijn hand uit, die beschermd werd door een grote bruine handschoen die hij van Olvan had gekregen. Na haar pijlsnelle duikvlucht spreidde Essix op het allerlaatste moment haar vleugels uit om af te remmen en streek neer op zijn onderarm.

‘Goed zo,’ zei Rollan terwijl hij haar veren aaide. ‘Zullen we de rusttoestand eens uitproberen? Heb je zin om een teken op mijn arm te worden?’

Rollan hoefde de taal van de vogels niet te spreken om te snappen dat haar schelle kreet ‘geen denken aan’ betekende. Hij knarste met zijn tanden maar bleef haar strelen. ‘Toe nou, Essix. Jij wilt toch ook niet dat we suf overkomen als de anderen hier straks zijn? We zullen ze eens wat laten zien!’

De valk hield haar kop schuin om hem met één amberkleurig oog aan te kijken. Ze zette haar veren op, maar ze maakte geen geluid meer.

‘Hoor eens, het gaat niet alleen om mij,’ zei Rollan. ‘Je maakt zelf ook een slechte indruk.’

Achter hem schalde een hoorn. Een andere hoorn reageerde. De Groenmantels van Schemerslot gaven vaak door middel van hoorngeschal aan dat ze weggingen of binnenkwamen.

‘Ik denk dat ze er zijn,’ zei Rollan.

Essix hupte naar zijn schouder.

Gisteren had Olvan aan Rollan laten weten dat twee van de drie andere Gevallen Beesten samen met hun bondgenoten onderweg waren naar Schemerslot. Hij had uitgelegd dat Rollan na hun komst meer te horen zou krijgen over wat er van hem werd verwacht. Er was telkens wel weer een nieuwe reden om het hele verhaal nog even uit te stellen.

Rollan vroeg zich af of de andere kinderen de Groenmanteleed al hadden afgelegd. Olvan zei dat de eed betekende dat je je de rest van je leven samen met de andere Groenmantels aan de bescherming van Erdas zou wijden. In ruil zou Rollan hulp krijgen om zijn band met Essix te versterken, hij zou een doel en een taak in het leven hebben en hij zou nooit verlegen zitten om voedsel, onderdak of gezelschap.

Rollan wist niet zeker of hij het allemaal geloofde. De terugkeer van de Vier Gevallenen was zogenaamd heel belangrijk, maar Olvan weigerde te vertellen wat ze nu eigenlijk moesten doen. Hoe lang wilde Olvan hem nog laten wachten?

Nu Rollan door Essix verlost was van een leven vol armoede, vroeg hij zich af of hij zich wel wilde vastleggen. Hij had het nooit prettig gevonden om bevelen op te volgen. Mensen met macht hadden nogal eens de neiging daar misbruik van te maken. Misschien waren er met Essix op zijn schouder nog wel tal van andere opties. Het was niet ondenkbaar dat hij zich het beste bij de Groenmantels kon voegen, vooral als mensen als Zerif het nu op hem gemunt hadden. Maar Rollan had helemaal geen tijd gehad om alle mogelijkheden te onderzoeken. Rollan had niet meteen 'nee' gezegd tegen Olvan, maar gevraagd of hij er even over mocht nadenken. Dat was nu drie dagen geleden.

Toen Rollan door het hoge gras naar de poort van Schemerslot liep, zag hij een bars kijkende Groenmantel op een groot paard verschijnen. Aan de ene kant van de Groenmantel liep een meisje en aan de andere kant een jongen. Naast het meisje sjokte een panda en naast de jongen sprong een grote wolf mee. Ze waren allemaal op weg naar Rollan en hij versnelde zijn pas. Hij wist dat de panda en de wolf twee van de andere Gevallenen moesten zijn: Jhi en Briggan.

Zodra de Groenmantel bij hem was, steeg hij af en Rollan nam hem onderzoekend op. Het was op het eerste gezicht een man die Rollan in Concorba liever niet in een donker steegje had willen tegenkomen.

De jongen had blond haar en droeg een groene mantel, wat betekende dat hij de eed al had afgelegd. Hij was niet klein voor zijn leeftijd, maar toch zag hij er jong uit. Hij had een vriendelijk, open gezicht, zo'n gezicht dat nog niet wist wat het leven inhield. Het meisje was ongelooflijk mooi. Ze had glinsterende ogen en een verlegen glimlachje waardoor Rollan even niet meer wist waar hij het zoeken moest. Aan de zweem van trots in haar blik kon Rollan zien dat zijn reactie haar goeddeed en het drong tot hem door dat ze dat glimlachje geoefend had. Naar haar kleren en gelaatstrekken te oordelen kwam ze uit Zhong, net als haar totemdier natuurlijk. Rollan had nog nooit een echte panda gezien. Ook geen wolf, trouwens. Hij kende die dieren alleen door de weduwe Renata, die wel eens langskwam in het weeshuis om de jongens prentenboeken over de Koningsdieren voor te lezen.

'Ik ben Tarik,' zei de Groenmantel. 'Jij bent zeker Rollan?'

'Ik deed nog zo mijn best om niet op te vallen,' zei Rollan. 'Hoe wist je dat? Door die valk zeker, hè?'

'Meilin, Conor, dit is Rollan,' zei Tarik. 'Hij is hier in Amaya geboren en getogen. Waar jullie Jhi en Briggan hebben opgeroepen, heeft hij Essix gekregen.'

De wolf stapte naar voren en de valk fladderde naar de grond. De panda kwam ook heel dichtbij en Essix slaakte een zachte kreet. De drie dieren keken elkaar behoedzaam aan.

'Weten ze het nog?' vroeg Meilin in het Algemeens. Ze had een mooie stem. Hij paste bij haar uiterlijk.

'Zou kunnen,' antwoordde Tarik. 'Het is moeilijk te zeggen hoeveel ze zich nog van hun vorige levens kunnen herinneren. Misschien reageren ze nu vooral instinctief.'

'En het vierde Gevallen Beest?' vroeg Rollan. 'Uraza?'

Tarik fronste zijn wenkbrauwen. 'Iemand was eerder bij Uraza en haar nieuwe bondgenoot dan wij, net zoals Zerif ook geprobeerd heeft jou mee te nemen. Het meisje heet Abeke. We weten niet waar ze op dit moment is, maar we blijven net zo lang zoeken tot we haar gevonden hebben. Lenori denkt dat Uraza en zij allebei nog leven. Het gaat er nu om dat we hen vinden.'

'Heeft Lenori ons ook gevonden?' vroeg Conor.

Tarik knikte. 'Lenori is de meest begaafde zieneres van alle Groenmantels. Dankzij haar bijzondere visioenen vermoedden we al dat de Vier Gevallenen zouden terugkeren.'

'Zó bijzonder zijn die visioenen kennelijk ook weer niet,' merkte Rollan op. 'Want iemand anders was eerder bij dat meisje in Nilo.'

'Als Uraza er momenteel niet is,' zei Meilin, 'dan moeten wij drieën de Vier Gevallenen vertegenwoordigen. Krijgen we nu we bij elkaar zijn eindelijk te horen wat er aan de hand is?'

'Dat bepaalt Olvan,' zei Tarik tegen haar. 'Jullie weten al dat we graag willen dat jullie je bij de Groenmantels aansluiten om Erdas te beschermen.'

'Tegen de Verslinder?' vroeg Rollan met enige scepsis.

Tarik leek heel even van slag door die vraag. 'Wie heeft het over de Verslinder gehad?'

'Een of andere kerel die ik tegenkwam,' zei Rollan. 'Hij reed op een eland.'

'We weten nog steeds niet precies wie onze tegenstander is. Als het de Verslinder niet is, is het iemand die heel erg op hem lijkt. Binnenkort zal Olvan vertellen waarom we jullie hulp nodig hebben. Op dit moment kunnen jullie het beste van deze gelegenheid gebruikmaken om elkaar beter te leren kennen. Jullie zullen elkaar heel veel zien de komende dagen. Ik rij vast vooruit om onze komst aan te kondigen.'

'Ze gaan ons aanstaren, hoor, ik waarschuw maar vast,' zei

Rollan tegen de anderen toen Tarik wegreed. 'Mensen doen niet anders sinds ik hier ben. In het begin was ik bang dat er eten op mijn gezicht zat.'

'Mensen staren altijd naar nieuwkomers,' zei Meilin. 'Vooral als ze belangrijk zijn.'

'En wij zijn natuurlijk belangrijk door onze dieren,' zei Conor een beetje onzeker, alsof hij het zelf eigenlijk niet geloofde.

Het gesprek viel stil. Conor leek opgelaten.

Rollan bestudeerde de andere twee kinderen en hun dieren. Briggan was echt een indrukwekkend beest. Rollan kon wel wat mensen noemen in Concorba die hij graag eens de stuipen op het lijf zou willen jagen met zo'n wolf. De panda zat maar een beetje met het gras te spelen. Conor kwam op Rollan nogal verlegen over en Meilin deed alsof het haar allemaal niets kon schelen.

'Aan je kleren te zien ben jij heel rijk,' zei Rollan tegen haar.

'Rijk is een relatief begrip,' zei ze met een koele blik. 'De keizer heeft veel meer kostbaarheden dan mijn vader.'

Rollan grinnikte. 'Als de keizer van Zhong jouw voorbeeld is van iemand die rijker is dan jij, dan ben je echt stinkend rijk.'

'Mijn vader is generaal en ik heb ook een aantal succesvolle kooplieden in mijn stamboom.'

'Juist. Rijk dus,' zei Rollan. 'En jij, Conor? Heb jij een familie of een stamboom?'

Conor werd een beetje rood en keek naar Meilin. 'Een familie. We hebben ook wel een stamboom, denk ik, maar dat woord gebruiken wij niet. We zijn herders. Ik moest een tijdje als bediende werken, maar ik vond het altijd fijner om buiten te zijn.'

'En ik ben een wees,' zei Rollan plompverloren. 'Ik ben hier alleen maar omdat Essix me uit de gevangenis heeft gered.'

'De gevangenis!' riep Conor uit. 'Wat had je dan gedaan?'

Rollan keek even of de andere twee wel aandachtig luisterden en boog zich toen naar voren. 'Ik was eigenlijk onschuldig, al kon ik dat niet bewijzen. Ik was opgepakt voor medicijnendiefstal in een apotheek.'

'Was je ziek?' vroeg Conor.

'Een vriend van mij had heel hoge koorts. Maar ik heb dat geneesmiddel niet gejat, dat was een andere vriend. Ik was er wel bij toen hij het deed, en daarom dachten ze dat ik er ook bij hoorde.'

'Welk deel is gelogen?' vroeg Meilin. 'Dat je in de gevangenis zat, of dat je er zat voor het stelen van een medicijn?'

Rollan haalde zijn schouders op. 'Betrapt. Ik ben eigenlijk de zoon van Olvan. Hij wil dat ik jullie in de gaten hou.'

Meilin zweeg, maar Rollan merkte dat ze hem niet vertrouwde. Misschien was ze toch niet zo dom als hij had gedacht. Het klonk ook nogal ongeloofwaardig natuurlijk. Ze droeg trouwens ook nog geen groene mantel.

Conor gluurde over zijn schouder naar Schemerslot. 'Wat zouden ze van ons willen?'

'Misschien had je dat even moeten vragen voor je die mantel aantrok,' zei Rollan monter.

'Ik denk dat ze ons als soldaat willen inzetten,' zei Meilin. 'Als aanvoerders waarschijnlijk. De oorlog is al begonnen.'

'Ik durf te wedden dat ze ons als mascotte willen gebruiken,' zei Rollan. 'Ze gaan me vast op de Amayaanse vlag zetten.'

Conor lachte en bloosde opnieuw. 'Moet je je voorstellen. En ik voel me al zo ongemakkelijk door al die aandacht.'

'Dit is niet het moment voor grappen,' snauwde Meilin met vuur schietende ogen. 'Zhong is aangevallen. De Groenmantels hebben mij meegesmokkeld terwijl mijn vader achterbleef om onze stad te verdedigen. Ik weet niet eens of hij nog leeft! Ik mag hopen dat ze grootse plannen met ons hebben.'

Rollan keek haar behoedzaam aan. 'Ik weet niet of ze veel aan mij zullen hebben,' zei hij. 'Hebben jullie nog tips wat die beesten betreft? Essix wil nooit doen wat ik zeg.'

‘Ik heb al heel veel geoefend met Briggan,’ zei Conor terwijl hij op zijn hurken ging zitten om zijn wolf te aaien. ‘Hij kan heel koppig zijn, maar nu we elkaar leren kennen gaat het steeds beter. Tarik zegt dat we uiteindelijk bepaalde krachten van hen kunnen overnemen.’

Rollan wierp een blik op Meilin en haar panda. ‘Wat wordt jouw kracht dan? Knuffelen?’

Meilin keek hem ijskoud aan. Haar lippen trilden even, maar daarna was de woede alleen nog in haar ogen te zien. Ze stak haar arm uit en met een flits werd Jhi een teken op de rug van haar hand. Ze draaide zich om en stormde weg.

‘Kijk nou,’ riep Rollan. ‘Zomaar! Hoe wist je hoe dat moest?’

‘Te laat,’ zei Conor zacht. ‘Ik ken Meilin nog niet zo lang, maar ik weet nu al dat ze behoorlijk snel aangebrand kan zijn.’

‘Kun jij dat ook?’ vroeg Rollan. ‘Met zo’n tatoeage?’

‘Nog niet,’ zei Conor.

Rollan aaide Essix. ‘Dan zijn wij in elk geval niet de enige trage leerlingen.’

Het was donker en stil in Schemerslot toen Rollan zijn kamer uit sloop. Hij bleef even staan om te luisteren, zijn smoesjes paraat voor het geval een wacht hem ernaar zou vragen: hij kon niet slapen, hij wilde iets te eten halen.

Maar er kwam geen wacht.

Hij keek even achterom naar zijn kamer en zag dat Essix bij het raam met haar kop tussen haar veren zat te slapen. Zachtjes trok hij de deur achter zich dicht. De valk kon straks door het open raam naar hem toe komen. Ze was het er vast niet mee eens, en daarom had hij ook geen poging gedaan om het uit te leggen, maar ze zou wel achter hem aan komen. Ze waren nu met elkaar verbonden.

In de gang zorgden kleine olielampjes voor wat licht. Met het waakzame schuldgevoel van een inbreker liep Rollan verder. Misschien zou hij op dit late uur niemand tegenkomen, maar anders maakte hij natuurlijk een ontzettend verdachte indruk. Hoe verder hij bij de keuken vandaan liep, hoe onbehaaglijker hij zich voelde. Wat moest hij zeggen als hij betrapt werd terwijl hij volledig aangekleed met een tas op weg was naar de kasteelpoort? Waarom wilde hij iets te eten halen als die tas helemaal vol zat met gestolen eten? Zijn antwoorden klonken heel ongeloofwaardig: hij kon zich niet ontspannen, hij voelde zich opgesloten, hij had wat frisse lucht nodig. Iedereen die even nadacht zou raden hoe de vork werkelijk in de steel zat.

Hij ging ervandoor.

Hij voelde een steek van wroeging, maar die probeerde hij te negeren. Hij had er toch zeker niet om gevraagd om hiernaartoe gebracht te worden? Olvan had beloofd hem tegen Zerif te beschermen, maar wie zou hem tegen Olvan beschermen? Rollan wist dat hij officieel te gast was bij de Groenmantels, maar hij begon zich steeds meer als een gevangene te voelen. Ja, nu werd er nog beleefd naar hem geglimlacht. Maar de verwachtingen van de Groenmantels voelden als ketenen. Hoe vriendelijk zouden ze nog zijn als hij hun bevelen niet meer opvolgde? Hoe vriendelijk zouden ze zijn als hij vannacht betrapt werd?

Eerder die avond was hij met de anderen naar het fort teruggekeerd waar ze zoals voorspeld verwelkomd waren door starende blikken. De Groenmantels hadden hun best gedaan om Conor en Meilin zich thuis te laten voelen, maar nog steeds had niemand hun iets uitgelegd. Rollan had opnieuw allerlei vragen gesteld, maar ook die waren weer ontweken. Die avond had Rollan besloten dat hij lang genoeg op informatie had gewacht. Het werd hem steeds duidelijker dat de Groenmantels wilden dat hij ze zijn hele leven trouw zou blijven, zodat ze zijn valk konden gebruiken. Nu Conor en Meilin er waren, zou de druk op hem alleen maar groter worden. Door te blijven wekte hij de indruk dat hij zich ging aansluiten. Als hij weg wilde, moest hij nu actie ondernemen.

Behalve de grote poort had Rollan ook drie kleinere poorten in de buitenmuur gezien. Ze waren allemaal zwaar versterkt en onzichtbaar van buitenaf. Voor zover hij wist konden ze alleen van binnenuit open. De afgelopen week had hij ze allemaal uitgeprobeerd. Hij wist welke poort hij nu wilde nemen.

Een eind verderop hoorde hij zacht geroezemoes en hij verstijfde. Hij verstond niet wat er werd gezegd, maar het gedempte gemompel klonk niet erg dringend. Blijkbaar stonden er wachters te kletsen bij de deur naar de binnenplaats. Dat was geen probleem. Er leidden zo veel deuren van het hoofdgebouw naar de binnenplaats dat ze nooit allemaal bewaakt konden worden. Hier in Amaya heerste geen oorlog, en mensen moesten ook gewoon slapen.

Met lichte, snelle stappen liep Rollan door een smal halletje naar een andere deur. Toen klonk er aan het eind van de gang opeens een stem. 'Kom nou, Briggan. Je wilt niet eten, je wilt niet naar buiten – kan dit morgen niet?'

Dat was Conor! Wat deed hij hier? Rollan glipte een zijgangetje in, maar hij wist niet waar dat heen liep. Hij sloeg een hoek om en bleef even staan om te luisteren. De wolf hoorde hij nauwelijks, maar Conor deed geen enkele poging om zachtjes te lopen. Ze kwamen zijn kant op!

Gehaast nam Rollan nog een paar afslagen, tot de gang doodliep bij een dichte deur. Zacht hijgend hoorde hij hoe Conor en de wolf steeds dichterbij kwamen en hij wachtte tot ze een andere kant op zouden gaan. Ze zouden toch zeker geen doodlopende gang nemen?

Wel als de wolf hem volgde.

Rollan sloeg zijn armen over elkaar en leunde tegen de muur, in de hoop dat hij Conor zou kunnen wijsmaken dat hij gewoon een ommetje maakte. Het klonk vast niet erg geloofwaardig zo midden in de nacht, maar Conor wekte geen bijster slimme indruk.

Conor kwam met Briggan de hoek om. De wolf bleef staan en keek naar Rollan. Conor had kleine oogjes en zag er verfomfaaid en slaperig uit. 'Rollan? Wat doe jij nou hier?'

'Ik kon niet slapen,' zei Rollan. 'Ik was het kasteel aan het verkennen. Waarom ben jij nog zo laat op stap?'

Conor gaapte en rekte zich uit. 'Ik probeerde te slapen, maar Briggan bleef de hele tijd aan de deur krabben.'

Rollan keek naar de wolf. Hij zat op zijn achterpoten en zijn tong hing uit zijn open bek.

Conor trok zijn neus op. 'Wat verken je hier dan precies? Ben je soms iets stiekems aan het doen?'

'Nou, vooruit,' zei Rollan, alsof hij eigenlijk niet wilde vertellen hoe het zat. 'Essix ging een stukje vliegen, maar ze is niet meer teruggekomen. Ik ben bang dat haar iets is overkomen.'

'En daarom ging je hierheen. Naar een doodlopende gang,' stelde Conor.

'Ik was verdwaald.'

'En daarom leunde je tegen een deur.'

Rollan dacht snel na. Misschien was Conor toch niet zo dom als hij leek. 'Ik hoorde jou aankomen en toen schaamde ik me. Ik wilde niet dat jij zou denken dat ik verdwaald was. Ik maak me echt zorgen om Essix.'

Conor fronste zijn wenkbrauwen. 'Als je je zorgen maakt, moeten we Olvan waarschuwen. Ik weet zeker dat hij een heleboel mensen kent die je kunnen helpen om Essix te zoeken.'

Rollan aarzelde. Het was een zwakke smoes, maar beter dan doen alsof hij dacht dat de keuken in dit gedeelte van het kasteel was. 'Je hebt gelijk. Wil jij met Briggan naar Olvan gaan om het uit te leggen? Dan kan ik vast beginnen met zoeken, voor het geval er haast bij is.'

Conor keek naar de tas. 'Wat zit er in die zak?'

'Valkenvoedsel. Om haar te lokken, weet je wel.'

Conor keek hem indringend aan. 'Wel een grote zak voor valkenvoedsel.'

Rollan slaakte een zucht en besloot het op te geven. 'Weet je, ga maar niet naar Olvan. Essix is niet weg. Ik wilde eigenlijk gewoon even... van omgeving veranderen.'

'Ga je weglopen?' stootte Conor ongelovig uit. Briggan hield zijn kop schuin.

'Ik ga ontsnappen,' verbeterde Rollan hem.

'Je zit niet gevangen,' zei Conor.

'Dat weet ik nog zo net niet!' antwoordde Rollan. 'Denk je dat ze me zomaar zouden laten gaan? Dat ik gewoon met Essix de deur uit mag lopen?'

Conor zweeg even. 'Ja, als je dat echt graag wilt wel.'

'Hoe weet jij dat nou? Jij hebt je aangesloten zodra ze een mantel voor je neus hielden.'

Conor schuifelde met zijn voeten. 'Ik heb me aangesloten toen ik hoorde dat ik Briggan had opgeroepen,' zei hij verdedigend. 'Ik heb nooit om mijn eigen Koningsdier gevraagd, maar het is nu eenmaal gebeurd en de Groenmantels hebben mijn hulp nodig om de wereld te beschermen.'

'Waartegen?' schamperde Rollan. 'Ze hebben nog steeds niets uitgelegd! Niet echt. We horen iets over een oorlog in Zhong. Ze fluisteren over de Verslinder. Mensen die ik nog nooit gezien heb kijken me hoopvol aan en ik heb geen idee wat ze van me verwachten. Stel dat mijn valk echt dezelfde Essix is als uit de verhalen, wat moeten wij dan tegen een oorlog beginnen? In de verhalen is Essix heel groot en kon ze praten. Deze Essix vindt mij volgens mij niet eens aardig!'

'Hoe zou dat nou komen?' vroeg Conor. Briggan schudde even met zijn kop. Zat de wolf hem nu uit te lachen?

'Pas op hè, herdersjongen,' zei Rollan nijdig. 'Jij vindt het misschien fijn om braaf met de kudde mee te lopen, maar ik heb daar geen behoefte aan.'

'Nou, ik sla tenminste niet op de vlucht zodra ik bang word,' stamelde Conor boos. 'Dacht je soms dat ik het niet zwaar heb? Dat ik nooit twijfel? Dacht je dat ik het leuk vind om ver van huis in een of ander kasteel te zitten? En je mag me best herdersjongen noemen. Om schapen te hoeden heb je veel meer lef en ervaring nodig dan om er 's nachts stiekem vandoor te gaan!'

Rollan stond met zijn mond vol tanden. Als Conor ondanks zijn twijfels met de Groenmantels samenwerkte omdat dat hem de juiste beslissing leek, dan kon Rollan daar weinig tegen inbrengen. Niet dat hij dat ging toegeven.

'Ik heb gewoon wat ruimte nodig,' zei Rollan zacht, want hij besloot eerlijkheid met eerlijkheid te bestrijden. 'Hoe kan ik hier rustig over nadenken als we de hele tijd omringd worden door Groenmantels? Met elke maaltijd die ik eet en elke hand die ik schud, voel ik de druk om me bij hen aan te sluiten. Zo kan ik toch niet bedenken wat ik zelf wil? Het zijn vast geen slechte lui, maar ik heb zo'n vermoeden dat ze alleen in die valk geïnteresseerd zijn. Dat betekent dat ze me gebruiken en daarom ben ik op mijn hoede.'

'Ik snap wat je bedoelt,' zei Conor. 'In mij was ook niemand geïnteresseerd, tot ik Briggan kreeg. Toen stond ik opeens in het middelpunt van de belangstelling.'

'Maar word je daar dan niet wantrouwig van?'

Conor knikte kort en Briggan keek verwachtingsvol naar hem op. 'Misschien wel. Maar ik weet zeker dat ze Erdas proberen te beschermen. Ze hebben Briggan nodig, en daarom hebben ze mij ook nodig. Bovendien lijkt Briggan ze te vertrouwen.'

De wolf kwispelde, stond op en begon heen en weer te lopen.

Rollan keek naar de gang achter Conor. 'Ik weet nog steeds niet wat ik ga doen, maar ik geloof dat mijn ontsnappingspoging mislukt is. Ga je me erbij lappen?'

‘Je hebt niets verkeerds gedaan,’ antwoordde Conor terwijl hij Rollan strak aankeek.

Rollan sloeg zijn ogen neer en wreef met zijn knokkels over zijn wenkbrauwen. ‘Ik denk dat ik nog wel even kan wachten om te horen wat er precies aan de hand is.’

‘Dan kun je waarschijnlijk ook een betere keuze maken,’ merkte Conor op.

‘Maar ondertussen blijven zij natuurlijk aan me trekken,’ zei Rollan. ‘Ik laat me nergens toe dwingen. Het kan me niet schelen als het vervelend wordt. Het kan me zelfs niet schelen als ze me opsluiten. Als ze me opsluiten weet ik in elk geval dat ik de juiste beslissing heb genomen.’

Conor spreidde zijn armen en geeuwde zo luid dat zijn kaken ervan knarsten. ‘Ik ben blij dat je nog even blijft. Ik zou het echt niet leuk vinden om hier alleen met Meilin te zijn.’

Rollan lachte meesmuilend. ‘Ben je bang voor haar?’

Conor haalde zijn schouders op. ‘Ik heb twee broers. Ik weet helemaal niets van meisjes.’

‘Het schijnt dat je ze bloemen moet geven.’

‘Als jij het zegt.’ Conor draaide zich om en klopte op zijn dij. ‘Kom Briggan, we gaan slapen. Welterusten, Rollan.’

‘Truste.’ Rollan keek Conor na tot de wolf en de jongen verdwenen waren. Zelf bleef hij nog een tijdje peinzend staan. Als hij wilde kon hij nog steeds ontsnappen. Maar hij was niet meer in de stemming.

Rollan ging op weg naar zijn kamer. Zijn stiekeme vertrek was gedwarsboomd, maar de zaak was nog niet verloren. Hij kon altijd nog een andere keer de benen nemen.

Samenwerken

Onderweg naar het oefenlokaal werd Meilin door bijna iedereen die ze tegenkwam aangestaard. Sommige mensen deden het stiekem, maar anderen stonden haar met open mond ongegeneerd aan te gapen. Gesprekken verstomden midden in een zin zodra men haar zag en als ze voorbij was werd ze achtervolgd door gefluister. De paar mensen die niet staarden wierpen haar een behoedzame blik toe, staken ongemakkelijk hun hand op of knikten even, wat misschien nog wel veelzeggender was. Rollan had gelijk. De Groenmantels hadden hoge verwachtingen van haar.

Meilin liep de grote, frisse ruimte in en zag dat Conor al met zijn wolf stond te wachten. Het oefenlokaal was enorm, veel groter dan de ruimte waar ze thuis met haar leermeesters had geoefend. Het gewelfde plafond was vast bedoeld voor Groenmantels met gevleugelde totemdieren.

'Fijn dat je er bent,' zei Conor terwijl hij verlegen over zijn arm wreef. 'Ik was al bang dat ik misschien verkeerd zat.'

'Er lag een briefje bij mijn ontbijt,' zei Meilin. 'Er stond op of ik met Jhi hierheen wilde komen zodra ik klaar was met eten.'

Conor knikte. 'Dat heb ik ook gekregen. Na dat briefje kreeg ik geen hap meer door mijn keel. Ik eh, ik kan niet zo goed lezen, dus iemand moest me helpen.' Conor bloosde. 'Denk je dat het een soort test is?'

'Ik denk dat ze willen kijken wat we kunnen.'

Conor keek even naar Briggan en toen weer naar Meilin. 'Jhi zit zeker op je hand?'

'Volgens mij vindt ze het daar wel best.'

Conor knikte en leek zich toen erg bewust van het feit dat hij niet meer wist wat hij moest zeggen. Hij zakte door zijn hurken om Briggan te aaien. Meilin zag dat hij haar blik ontweek. Hij was maar een eenvoudige herdersjongen die niet kon lezen of schrijven, maar in één belangrijk opzicht was hij haar gelijke: hij had een van de Vier Gevallenen opgeroepen. Waarom hij? Was het puur toeval? En zij dan? Zou er puur toevallig iemand uitgekozen worden die zo in de wieg gelegd was om leider te worden als zij?

Rollan kwam het lokaal binnen met zijn valk op zijn schouder. 'Ben ik te laat?'

Conor keek op en de opluchting was van zijn gezicht te lezen. 'Fijn dat je er bent.'

De twee jongens wisselden een blik van verstandhouding. Had ze iets gemist? Hadden ze het stiekem over haar gehad? Nu Zhong was aangevallen had ze helemaal geen zin om over dat soort onbenulligheden te piekeren, maar het ging vanzelf en daar baalde ze van.

'Is er verder nog niemand?' vroeg Rollan.

'Nog niet,' antwoordde Conor.

Rollan keek naar de wapens die in rekken aan de muren hingen: zwaarden, kromzwaarden, messen, speren, hellebaarden, bijlen, stokken en knotsen. 'Gaan we elkaar doodslaan?'

'Nee, zo spannend wordt het niet,' zei Tarik, die samen met twee andere mannen en een vrouw naar binnen liep. Ze droegen alle drie een groene mantel en Meilin had ze nog niet eerder gezien. Ze keken gebiologeerd naar Essix en Briggan. 'We doen altijd een test bij nieuwe rekruten om te zien wat ze allemaal kunnen.'

Rollan keek naar de andere Groenmantels. 'Wie zijn je vrienden?'

'Die komen kijken,' antwoordde Tarik kalm. 'En helpen waar

nodig is. Let maar niet op ze. Ik wil alleen een paar oefeningen met jullie doen.'

'Hè ja,' bromde Rollan, 'nog meer mensen die ons komen aanstaren.'

De twee mannen liepen op Conor en Rollan af. De vrouw kwam naar Meilin toe. Ze was stevig maar gespierd en had een nuchtere uitstraling.

'Meilin, wil jij Jhi laten verschijnen?' vroeg Tarik.

Meilin concentreerde zich op de eenvoudige tatoeage op de rug van haar hand. Als ze met andere dingen bezig was merkte ze nauwelijks dat het teken er zat. Maar nu voelde ze warmte onder de afbeelding, een vage aanwezigheid. In gedachten riep ze Jhi terwijl ze een deur voor zich zag die openging. De tatoeage verdween in een flits en daar stond Jhi.

'Heel goed,' prees Tarik. 'Sommige mensen die net geleerd hebben om de rusttoestand toe te passen hebben in het begin nog moeite om hun dieren weer los te laten. Jij hebt het snel onder de knie gekregen, dat is heel belangrijk. In rusttoestand kan je totemdier je niet helpen.'

Meilin knikte even en glimlachte bescheiden. Ze was gewend aan complimenten, maar het bleef leuk om ze te krijgen. Ze zag dat de jongens haar afgunstig aankeken, vooral Rollan. Ze hield haar blik op Tarik gericht en deed net alsof het haar niets kon schelen.

'Jullie worden nu geblinddoekt door je begeleider,' deelde Tarik mee. 'We gaan testen hoe bewust jullie je van je totemdier zijn als je niets kunt zien.'

Meilin bleef heel stil staan terwijl de vrouw een blinddoek voor haar ogen bond.

'Vechten jullie vaak met je ogen dicht?' vroeg Rollan.

Die gedachte was ook even door Meilins hoofd geschoten, maar zij zou dat nooit hardop gezegd hebben.

'Hiermee bootsen we een situatie na waarin je totemdier buiten je blikveld is,' legde Tarik geduldig uit, alsof de vraag niet bedoeld was om hem op stang te jagen. 'Ontspan je maar en doe wat wij zeggen.'

Meilin werd bij de elleboog gepakt en een paar passen meegevoerd. Ze wachtte ongeveer een minuut, tot ze weer een vaag idee had van waar ze stond in de ruimte.

'De dieren zijn allemaal van plek gewisseld,' meldde Tarik. 'Ik wil jullie nu alle drie vragen om aan te wijzen waar je dier zich bevindt. De dieren vraag ik beleefd om niets te laten merken.'

Meilin concentreerde zich tot het uiterste, maar ze hoorde en rook niets. Ze dacht aan de vage aanwezigheid die ze onder de tatoeage voelde als Jhi in rusttoestand was en probeerde eenzelfde soort aanwezigheid om zich heen te voelen. Niets.

'Goed zo, Conor. Je zat er vlakbij,' zei Tarik.

Meilin liet niets merken, maar stiekem was ze teleurgesteld. Had Conor een sterkere band met zijn totemdier dan zij met het hare? Hij kon de rusttoestand nog niet eens toepassen! Misschien had hij gewoon goed gegokt.

'Helaas, Rollan, je zit er heel ver naast,' zei Tarik. 'Uitstekend, Conor. Briggan is aan het lopen en je volgt hem heel goed.'

In gedachten vroeg Meilin aan Jhi of ze wilde laten weten waar ze was. Jhi had tot nu toe al haar verzoeken ingewilligd, maar nu voelde Meilin nog steeds niets.

'Meilin,' zei Tarik, 'probeer op je intuïtie te vertrouwen als je het niet weet.'

Ze wilde niet zomaar in het wilde weg wijzen, maar misschien gaf Tarik haar een tip. Misschien was ze zich alleen op een intuïtief niveau bewust van haar dier. Dat zou ook verklaren waarom Conor het zo goed kon: ze had niet het idee dat hij werd gehinderd door te veel nadenken.

In een opwelling wees Meilin naar rechts.

'Helemaal mis,' zei Tarik, en hij klonk alsof hij het grappig vond.

Meilin wees naar links.

'Beter, maar nog steeds niet in de buurt,' verkondigde Tarik.

Meilin moest haar best doen om geen boos gezicht te trekken. Wat was dit voor stomme wedstrijd? In gedachten beval ze Jhi om zich kenbaar te maken. En weer voelde ze niets.

'Niet slecht, Rollan,' zei Tarik. 'Ook niet geweldig, maar het gaat te goed om puur geluk te kunnen zijn. Conor, jij bent echt een natuurtalent.'

Meilin probeerde niet zenuwachtig te worden. Ze had nog nooit geprobeerd om Jhi op deze manier te voelen. Zouden de jongens geoefend hebben? Vast en zeker.

'Wil je het nog een keer proberen, Meilin?' vroeg Tarik.

Ze trok de blinddoek van haar ogen. 'Ik voel niets.' Ze keek naar de plek waar Jhi naast een begeleider langs de muur van het lokaal kuierde.

'Dat komt vaker voor,' zei Tarik tegen haar.

Meilin zag hoe Conors vinger Briggan precies volgde; hij bleef zelfs naar het dier wijzen als de wolf van richting veranderde. Essix vloog boven hen heen en weer. Rollan leek ongeveer te kunnen bepalen in welke helft van de ruimte de vogel zich bevond, maar meer ook niet.

'Hoe word ik er dan beter in?' vroeg Meilin.

'Je kunt Jhi al naar haar rusttoestand roepen,' stelde Tarik vast, 'dus het gaat er niet om dat je haar vertrouwen nog moet winnen. Ik denk dat jullie band gewoon nog wat sterker moet worden. Daarom is het ook belangrijk dat jij openstaat voor haar.'

Meilin knikte. Jhi had altijd gedaan wat ze zei, dus waarom was het nu misgegaan? Misschien had Tarik wel gelijk. Misschien deed de panda heus haar best. Meilin fronste haar wenkbrauwen. Misschien was zíj degene die bepaalde signalen niet oppikte. Jhi was gehoorzaam, maar ze hadden nog geen hechte band. Wat was daarvoor nodig? Genegenheid? Wederzijds begrip? Ze vond het moeilijk om zo'n traag, volgzaam dier met respect te bejegenen. Maar Jhi was haar totemdier. Ze zou nooit een ander dier krijgen. Meilin moest een manier zien te verzinnen waarop ze konden samenwerken.

'Jullie mogen je blinddoek afdoen,' sprak Tarik.

Meilin keek naar de wapens aan de muren. De houten zwaarden waren duidelijk oefenmateriaal, maar veel wapens zagen er heel echt uit, al waren sommige misschien bot gemaakt. Meilin vermoedde dat ze beide jongens in vrijwel elk duel de baas zou zijn, met of zonder hulp van Jhi. Het zou goed voelen om te laten zien wat ze kon, maar was het ook verstandig? Haar vader had altijd gezegd dat ze haar vechtkunsten geheim moest houden, zodat ze haar tegenstanders kon verrassen als het nodig was.

'We gaan nu een lichamelijke oefening doen,' kondigde Tarik aan. 'Jullie lopen zo meteen alle drie naar die muur daar.' Hij wees naar de muur die hij bedoelde. 'Je rent het lokaal door, tikt deze muur hier zo hoog mogelijk aan, rent weer terug en raakt de zak die daar hangt zo hard als je kunt. Vraag je dier om je op alle mogelijke manieren te helpen.'

Meilin keek naar de linnen stootzak die aan de overkant van de ruimte aan een ketting aan een balk bungelde. De opbollende zak was groter dan zij en zag er zwaar uit.

'Gaan we allemaal tegelijk?' vroeg Meilin.

'Ja,' zei Tarik. 'Wie het eerst bij de zak is, mag ook het eerst slaan. We kijken naar je snelheid, de hoogte van je sprong en naar hoe hard je de zak raakt. Overleg maar even met je dier.'

Meilin liep naar Jhi toe. De panda zat op haar achterpoten en keek haar doodgemoedereerd aan. Daarna likte ze aan een van haar klauwen. Meilin vond de ontspannen houding van het dier niet bepaald opbeurend.

'Wil je me alsjeblieft helpen?' vroeg Meilin. 'Kun je me sneller laten lopen? Meer energie geven? Ik heb zoiets nog nooit van jou gevoeld. Dit is misschien een goed moment om ermee te beginnen.'

De panda hield met een licht verbaasde blik haar kop schuin.

'Toe nou,' fluisterde Meilin geërgerd. 'Hoe langer we hier in dit oefenlokaal moeten blijven, hoe langer mijn vader en zijn leger zonder ons moeten strijden. Ik weet dat je sterk bent – je bent een Koningsdier. Je moet me helpen, want met elk oponthoud helpen we onze vijand. Snap je dat? Dit is geen spelletje. Het is oorlog.'

Voelde Meilin een heel klein beetje begrip in die strakke, zilverkleurige blik? Of verbeeldde ze zich dat maar?

De jongens liepen al naar de muur en Meilin ging op een drafje achter hen aan. Haar lichaam was fit. Het was alweer een paar weken geleden dat ze voor het laatst met de meesters had getraind, maar tijdens de reis had ze regelmatig een serie oefeningen gedaan om haar reflexen en uithoudingsvermogen op peil te houden. De jongens waren langer, maar zij was snel en ze kon rake klappen uitdelen.

Briggan liep langs een van de muren heen en weer en hield de drie kinderen met een geconcentreerde roofdierenblik in de gaten. Essix vloog naar de balk boven de stootzak. Jhi bleef zitten waar ze zat en keek in stilte toe.

Rollan grijnsde meesmuilend naar Meilin. 'Moest je veel rennen in dat paleis van jou?'

'Ik woonde niet in een paleis,' antwoordde Meilin. Dat was niet gelogen, al zouden Rollan en Conor haar huis waarschijnlijk wel een paleis noemen. Als het tenminste nog overeind stond.

'Ik kan goed rennen,' deelde Conor mee. 'Maar ik heb het al een tijdje niet meer gedaan. En jij, Rollan?'

'Wezen moeten goed kunnen rennen,' antwoordde hij. 'Een langzame wees belandt in de gevangenis.'

'Jij kwam toch net uit de gevangenis?' vroeg Meilin onschuldig.

'Klaar?' riep Tarik.

Een van de Groenmantels stond naast hen bij de muur waar ze

moesten beginnen. Een andere was naar de muur gelopen waar ze moesten springen. En de derde wachtte bij de stootzak. De drie kinderen zetten hun hand tegen de muur achter hen.

'Op jullie plaatsen,' zei Tarik. 'Klaar... af!'

Meilin zette zich af en rende zo hard ze kon. In gedachten vroeg ze Jhi om meer snelheid, al voelde dat een beetje belachelijk. Ze kon zich niet echt voorstellen dat de slome panda haar harder zou laten lopen. Wat dat betreft maakten Conor en Rollan met hun snelle totemdieren een betere kans.

Het rennen ging goed, maar toen Meilin bij de muur kwam waar ze moest springen lag Rollan een paar passen voor en Conor ging ongeveer gelijk met haar op. De sprint had niet anders gevoeld dan een gewoon stukje hollen.

Meilin dacht na over de sprong. Als de jongens heel hoog probeerden te komen, zouden ze misschien langzamer keren. Als zij zich dan concentreerde op een snelle draai, zou ze wellicht op voorsprong komen en als eerste bij de stootzak kunnen zijn. Maar als het sprongcijfer voor een derde haar score bepaalde, werd ze met een slechte sprong misschien wel laatste, ook als ze de zak hard raakte.

Vlak voor haar remde Rollan af; hij sprong en sloeg zo hoog mogelijk tegen de muur. Het was een prima sprong, maar niets bijzonders. Meilin besloot ervoor te gaan.

Tijdens het springen voelde Meilin een vreemde golf energie, en ze zette zich af tegen de muur om nog hoger te komen. Conor sprong naast haar en zij raakte de muur hoger, ook al was hij langer.

Toen ze weer neerkwam draaide ze zich om en zette het op een lopen. Conor lag nu achter. Rollan liep minstens vier passen voor haar en had veel vaart.

Er ging een doordringend gejank door de ruimte. Briggan. Meilin probeerde het geluid te negeren, maar ze kreeg toch kippenvel op haar armen.

Conor vloog langs Meilin en rende ook Rollan voorbij. Hij was een paar passen eerder dan Rollan bij de stootzak, sprong omhoog en bonkte er met zijn schouder tegenaan. Hij stuiterde hard terug en viel op de grond. De zak wiebelde maar een heel klein beetje.

Meilin besefte dat ze goed moest opletten hoe ze de zak raakte, want hij was duidelijk heel zwaar. Ze besloot net te doen alsof ze tegen een muur op sprong.

Rollan gaf de zak in het voorbijgaan een stomp. De zak absorbeerde de klap alsof het niks was. Conor had er in elk geval nog beweging in gekregen.

Meilin smeekte Jhi om kracht, kwam los van de grond en trapte met beide benen naar de zak. Het enorme ding wiegde heen en weer, maar niet veel. Ze ving zichzelf op met haar handen en kwam hijgend overeind.

'Gaat het, Conor?' vroeg Tarik.

Conor stond voorzichtig op en wreef over zijn schouder. 'Jawel.'

'Je had ons wel even mogen waarschuwen dat er stenen in zaten,' klaagde Rollan terwijl hij zijn pols masseerde.

'Zand,' verduidelijkte Tarik. 'En?'

'Voornamelijk op eigen kracht, nog weinig bijzonderheden,' berichtte de vrouwelijke Groenmantel.

'Behalve aan het eind van Conors sprint,' merkte een van de andere Groenmantels op.

'Hoe voelde dat?' vroeg Tarik.

'Toen Briggan begon te janken?' vroeg Conor. 'Ik weet niet – alsof ik de wind in de rug had. Ik voelde me agressiever. Ik was niet van plan om tegen de zak te beuken, maar het voelde goed.' Hij trok een grimas. 'Tot ik hem raakte.'

De Groenmantel bij de muur waar ze gesprongen hadden zei: 'Meilin kreeg volgens mij een zetje bij haar sprong.'

'Heb je dat gevoeld, Meilin?' vroeg Tarik.

'Een beetje,' antwoordde ze. 'Eerlijk gezegd had ik vooral het gevoel dat ik het allemaal zelf moest doen.'

'Als de panda haar geholpen had, was ze langzamer gegaan,' zei Rollan lachend.

'Jij stompte in elk geval als een vogel,' kaatste Meilin terug. 'Zo hard als een veertje.'

'Wow,' zei Rollan met opgestoken handen. 'Geen grapjes over de panda, dat is duidelijk.'

'Niet kibbelen,' beval Tarik. 'De band met je totemdier is heel persoonlijk. Dit is geen wedstrijd. Mijn voornaamste doel was om jullie je meer bewust te laten worden van je totemdier en te laten zien hoe je kunt leren elkaar te helpen.'

Meilin voelde een steek van woede. De oefeningen hadden alleen maar benadrukt hoe waardeloos haar band met Jhi was. Als dit het enige was wat de panda haar te bieden had, had ze nooit uit Zhong moeten vertrekken. Had ze haar vader en haar thuisland echt hiervoor in de steek gelaten?

'Zijn we klaar?' vroeg Conor.

Tarik en de andere Groenmantels knikten naar elkaar. 'Voorlopig hebben we genoeg gezien.'

'Hoe ziet het eruit als jij de zak raakt?' vroeg Rollan uitdagend.

Tarik keek even naar de andere Groenmantels en toen naar de kinderen. 'Willen jullie een demonstratie?'

Meilin slaakte een zachte zucht. Na haar matige optreden had ze helemaal geen zin om een expert in actie te zien, maar de jongens moedigden hem aan.

In een flits stond er een slanke otter voor hem.

Rollan probeerde zijn lachen in te houden. 'Heb jij een ótter als totemdier?'

'Lumeo is nogal een clown,' vertelde Tarik.

De otter begon allerlei acrobatische toeren uit te halen; zijn lange lijf draaide en kronkelde als de staart van een vlieger. Conor klapte in zijn handen.

'Zo kan-ie wel weer,' zei Tarik goedmoedig tegen zijn dier. 'We weten allemaal wat een uitslover je bent. Kun je me misschien even helpen?'

De otter ging met een ruk rechtop zitten en keek naar Tarik, die naar de muur liep waar de anderen aan hun sprint waren begonnen. Meilin hapte naar adem toen hij begon te rennen. Niemand kon zo vlug versnellen! Toen Tarik bij de muur was, liep hij met drie stappen omhoog en zette zijn hand op een plek die twee keer zo hoog was als waar zij de muur hadden geraakt. Terwijl hij naar beneden zakte, zette hij zich af tegen de muur, maakte een achterwaartse salto en kwam al rennend op de grond terecht. Bij de stootzak deelde hij zo'n klap uit dat het ding woest heen en weer slingerde. Toen stond hij stil en draaide zich om.

'Geweldig!' riep Conor.

Rollan klapte en floot.

Meilin besloot dat ze maar beter kon applaudisseren, anders leek het net alsof ze niet tegen haar verlies kon. Het was echt een indrukwekkend gezicht geweest. Ze had nooit gedacht dat de lange krijger zo snel en behendig zou kunnen zijn.

Tarik stak zijn hand uit naar zijn otter. 'Lumeo verdient alle lof. Zonder hem had ik dat nooit gekund. We vormen een team, net zoals jullie een team vormen met je dier. Als je die band kunt versterken word je beloond.'

'Indrukwekkend,' erkende Meilin. 'Maar volgens mij verliezen we de hoofdzaken uit het oog. Zhong is aangevallen. Er gaan mensen dood. Wie weet hoeveel steden er inmiddels al zijn gevallen? Ik ben in goed vertrouwen van heel ver hiernaartoe gekomen, maar ik begin me zo langzamerhand af te vragen hoe mijn aanwezigheid in Amaya iets bijdraagt aan de oorlog in Zhong. Wanneer krijgen we te horen wat jullie van ons willen? Ik ben niet naar de andere kant van Erdas gereisd om hardloopwedstrijdjes te doen en tegen zandzakken te schoppen.'

'Binnenkort,' beloofde Tarik. 'Olvan legt de laatste hand aan zijn plannen. Jullie hebben geen idee hoe belangrijk jullie drieen zijn. We willen jullie op de juiste manier inzetten. En jullie moeten proberen om daar klaar voor te zijn.'

Tarik en de andere Groenmantels liepen de zaal uit. Meilin vermeed een verder gesprek met Conor en Rollan door meteen op Jhi af te stappen, die op haar rug was gerold, met haar poten wijd gespreid in de lucht. Het zag er belachelijk uit.

'We gaan terug naar onze kamer,' zei ze tegen de panda.

Jhi keek verwachtingsvol naar haar op.

Meilin stak haar hand op. 'Wou je een lift? Zal ik je eens wat vertellen? Als bedankje voor al je hulp mag jij vandaag lopen.'

Meilin ging op weg naar haar kamer, zonder te kijken of de panda achter haar aan kwam of niet.

Het eiland

In het licht van de grote gele maan sloop Abeke zacht ademend over het dak achter Uraza aan. Vanaf dit hoge punt kon ze de baai zien waar hun schip had aangemeerd. De warme, vochtige lucht bracht de rijke geur van het oerwoud mee, vermengd met het scherpe zout van de zee.

Volgens Shane zaten ze op een eiland in de Golf van Amaya, met Nilo aan de andere kant van de oceaan. Ze had een deel ervan stiekem al tijdens twee eerdere uitstapjes verkend, en was er toen achter gekomen dat het op zijn minst een schiereiland was. Omdat ze had liggen slapen toen het schip de haven in was gevaren, wilde ze vannacht met eigen ogen zien of ze echt op een eiland zaten. Niet dat ze aan het verhaal van Shane twijfelde: het gaf haar gewoon iets te doen. Ze was nog nooit op een eiland geweest.

Uraza sprong van het dak op een muur onder hen. Het was niet ver naar beneden, maar de richel was nauwelijks drie handbreedtes groot. Abeke bleef staan en Uraza keek achterom, met ogen die glansden in het maanlicht. Abeke voelde een kalmerende stroom energie door haar lijf gaan. De spanning vloeide uit haar spieren en ze werd ontspannen en soepel. Haar evenwicht was perfect en ze concentreerde zich op alle nachtelijke geluiden van het eiland: rondscharrelende dieren, de roep van een vogel en zacht gefluister, op een balkon misschien, of op de grond. Haar zicht werd scherper in het donker en ze rook de gelaagde geuren die in de lucht hingen.

Abeke kwam lichtvoetig op de muur terecht en haastte zich

vervolgens naar de plek waar die de omheining rond het complex raakte. Ze klom erop en liet zich toen op het zand vallen.

Niemand had haar zien ontsnappen. Niet dat het uitmaakte: als ze gesnapt werd, was de enige straf de schaamte dat ze gefaald had. Ze had zin in een uitdaging. De trainingssessies met Shane waren nuttig maar nep. Deze nachtelijke tochtjes met Uraza voelden veel echter.

Abeke liep achter Uraza aan het duistere bos in, vol varens en hoge bomen met enorme bladeren. Ze was niet gewend aan zulke overdadige begroeiing, aan lianen en kruipplanten, en aan zo veel bomen dicht op elkaar, maar de vochtige lucht verklaarde waarschijnlijk waarom al die planten het hier zo goed deden. Sinds ze hier was had het al twee keer geregend: korte, hevige buien die uit het niets losbarstten en net zo plotseling weer ophielden. Abeke zou willen dat ze wat van het vele water naar haar dorp kon sturen.

De vesting waar ze verbleven verdween achter hen uit het zicht. De ommuurde buitenpost lag een klein stukje landinwaarts van de beschutte inham waar de door walvissen getrokken schepen voor anker gingen. Tot nu toe had Abeke nog geen andere gebouwen op het eiland kunnen ontdekken.

'Deze kant op, Uraza,' zei Abeke wijzend. De luipaard was al afgebogen naar het hoogland dat ze eerder verkend hadden. 'Ik wil de andere kant van het eiland eens bekijken.'

De grote kat volgde gehoorzaam. Abeke was niet bang voor het geritsel in het gebladerte en de kreten van de vogels. In haar eentje zou ze nooit het oerwoud in gegaan zijn, maar met Uraza in de buurt voelde ze zich onoverwinnelijk.

Zonder haast slopen ze als schimmen door het struikgewas. Abeke kwam bijna in een soort trance en deed Uraza precies na: ze bleef staan als de luipaard bleef staan, liep verder als zij verder liep. Door hun band kon Abeke de houding van het dier bestuderen en tegelijkertijd gebruikmaken van haar scherpere zintuigen en aangeboren geruisloosheid.

Na een tijdje lieten ze het bos achter zich en beklommen ze een lange, steeds steiler wordende helling. De struiken waren hier minder dicht en Abeke had een goed uitzicht op het donkere woud achter haar. De toortsen van de kleine vesting bij de baai leken net oranje vonkjes.

Vanaf de kale heuveltop kon Abeke voor het eerst de andere kant van het eiland zien. Onder haar lag de zee. In het licht van de maan kon ze de kustlijn onderscheiden, deels afgeschermd van het open water door lange zandbanken. Er was geen ander land te zien. Haar ogen werden naar een wit strand in een inham getrokken, want daar brandden twee kampvuren. Het moesten wel hoge vuren zijn dat ze van zo'n afstand zo fel waren. Er liepen gestalten op het strand, donkere vlekken die af en toe verlicht werden door de vlammen.

'Kijk daar eens,' zei Abeke. 'Wie zouden dat zijn?'

Naast haar keek Uraza in elkaar gedoken argwanend toe.

Abeke tuurde het donker in. 'Ik kan het niet goed zien vanaf hier. Ze zijn een heel eind bij de buitenpost vandaan. Zouden het piraten zijn? Shane zei dat alle schepen de laatste tijd moeten oppassen voor piraten.'

Uraza bleef roerloos naast haar zitten.

Abeke vroeg zich af of de mensen voor wie Shane werkte wisten dat er nog andere bezoekers op het eiland waren. Zouden die figuren op het strand gevaarlijk zijn? Dat leek haar niet. Er verbleven tientallen mensen in de stevige vesting, onder wie veel gewapende soldaten, en de meesten van hen hadden een totemdier. In de baai lagen drie grote schepen te wachten. Shane had gezegd dat er binnenkort nog meer schepen verwacht werden, met belangrijke gasten. Zouden dat die mensen op het strand zijn? Zouden bezoekers niet rechtstreeks naar de vesting komen?

'Ik vind het maar niks,' mompelde Abeke. 'Ik wil niet dat iemand Shane en zijn mensen stiekem besluipt. Denk je dat we dichterbij kunnen komen zonder betrapt te worden?'

Uraza gaf antwoord met een zwiep van haar staart en ging langs de helling op weg naar de inham. Abeke volgde haar.

Algauw bevonden ze zich weer tussen de bomen. Abeke deed extra haar best om geen geluid te maken. Dit was geen spelletje meer. Misschien waren die mensen op het strand wel gevaarlijk.

Een zacht briesje liet de bladeren ritselen en voerde een lichte rookgeur aan. Abeke was blij met de wind, want die zou eventuele geluiden die zij maakte verhullen.

Na een flink stuk lopen werd de geur van het vuur sterker en hoorde Abeke in de verte mensen praten. Toen klonk er een eind verderop een snerpende kreet door de nacht. Er volgde een tweede, minder schrille kreet, en toen een derde. Abeke hield haar adem in en knielde naast Uraza op de grond. Het gekrijs was opgehouden. Het gegil leek niet menselijk en het was ook niet het geluid van een dier dat ze kende, maar het had heel wanhopig geklonken.

Uraza sloop verder. Ze bewogen zich nu nog behoedzamer voort, een klein stukje per keer, tot ze eindelijk bij het strand waren. Samen kropen Abeke en Uraza zo ver als ze durfden door de laatste strook struikgewas en gluurden vanonder de donkere bomen naar het strand.

De twee kampvuren waren hoog en breed, alsof er per ongeluk twee hutjes in brand waren gestoken. In het flakkerende licht zag Abeke zes grote kooien en ongeveer tien mannen. In vier van de kooien zaten monsterlijke beesten: één wezen had veren en zag eruit als een soort reusachtige roofvogel, een ander dier had stekels als een stekelvarken maar was bijna zo groot als een bizon en in de derde kooi zat een enorme opgerolde slang, waarschijnlijk een wurgslang. De vierde kooi bevatte iets wat op een pezige rat leek, groot genoeg om een antilope te kunnen doden.

In een van de andere kooien liep een gewone hond heen en

weer, klein en bangig naast alle monsters die hem omringden. De zesde kooi was leeg.

Een man in een mantel met een kap op liep met een rat in zijn hand op de lege kooi af. Het was een fors knaagdier, maar niets vergeleken met de onnatuurlijk grote rat verderop. 'Laten we deze een dubbele dosis geven en kijken wat er dan gebeurt,' zei de man.

'Groot of klein, een dosis is een dosis,' protesteerde een kale man.

'We hebben meer dan genoeg,' wierp de man met de kap tegen. 'De papegaai is dood, dus we hebben een kooi over. Ik wil het wel eens meemaken.'

Abeke moest haar oren spitsen, maar ze wist zeker dat ze het goed verstaan had. De man met de kap pakte een waterzak en hield hem ondersteboven boven de bek van de rat. De rat spartelde tegen en zwiepte wild met zijn staart.

'Zo kan-ie wel weer,' gromde een van de andere mannen.

'In de kooi ermee,' beval een andere man.

'Nog niet,' zei de man met de kap terwijl hij een stop op de waterzak deed. 'Als ik te snel ben, rent hij straks tussen de tralies door.' Hij hield de rat voor zich uit om hem aan de andere mannen te laten zien. Het dier wriemelde in zijn handen en leek op te zwellen. Het begon nog heviger te kronkelen en gilde van de pijn.

De man met de kap draaide zich om en duwde de rat tussen de tralies van de lege kooi door. Het knaagdier lag te spartelen op de bodem van de kooi en zijn lijf dijde uit onder zijn vacht. Hij stootte hetzelfde gekwelde gekrijs uit dat Abeke hiervoor ook al had gehoord. Met een laatste kreet wierp hij zich tegen de tralies, zijn opgezwollen lichaam bol van de spieren. De rat probeerde een paar keer door de tralies te breken; de kooi wiebelde en er stoof zand op, maar uiteindelijk gaf hij het op en ging liggen.

Abeke kon het haast niet bevatten. Wat zou Shane zeggen als ze hem dit vertelde? Zou hij haar geloven? Ze keek even naar Uraza. 'Jij bent mijn enige getuige,' fluisterde ze. 'Jij ziet het, hè? Het is niet natuurlijk. Wat hebben ze dat beest gegeven?'

Uraza keek haar heel even aan en richtte haar blik toen weer op het strand.

'Wat zei ik nou?' vroeg de kale man. 'Een dosis is een dosis. Het maakt niet uit hoeveel je hem geeft.'

'Deze is iets groter,' zei de man met de kap. 'En volgens mij ging het deze keer ook sneller.'

'Verspilde moeite. Kom, nog eentje.'

'Die laatste zou het makkelijkst moeten zijn,' zei de man met de kap. 'Admiraal is goed afgericht. Misschien blijft hij dat wel na de Gal.'

'Eerst zien, dan geloven,' zei de kale man.

De man met de kap hield zijn waterzak omhoog. 'Straks moet je toegeven dat ik gelijk heb.' Hij liep naar de kooi met de hond erin. 'Admiraal, zit.'

De hond ging zitten.

'Blaf.'

De hond blafte en kwispelde.

De man met de kap haalde de stop weer van de waterzak en stak de zak tussen de tralies door. 'Hier.'

De hond liep naar voren en de man goot de vloeistof in zijn bek. Abeke zag dat er ook wat op de grond spetterde. Toen deinsde de man achteruit.

Een paar mannen gingen dichter bij de kooi staan, hun lange speren angstvallig voor zich uitgestoken. Eén man had een boog vast met een pijl op de pees.

Abeke wilde het niet zien, maar haar blik werd onverbiddelijk naar de hond getrokken, die stuiptrekkend begon te groeien. Hij krijste niet zoals de rat, maar jankte zachtjes. Alle spieren van het dier stonden strakgespannen en bolden extreem op.

Zijn ogen werden groot en fel en hij begon te schuimbekken. De hond liet een laag gegrom horen en wierp zich toen zo hard tegen de zijkant van de kooi dat die bijna omviel.

'Admiraal, zit,' riep de man met de kap van een afstandje.

De monsterlijke hond ging zitten.

'Blaf.'

De gespierde hond stootte een hard geblaf uit dat door het oerwoud galmde. Vogels vlogen verschrikt op uit de bomen.

'Brave hond, Admiraal,' zei de man met de kap. 'Brave hond.'

'Vooruit, ik ben onder de indruk,' gaf de kale man toe. 'Maar ik zou hem wel aan de lijn houden als ik jou was.'

Een paar andere mannen grinnikten. De meesten hielden nog steeds behoedzaam hun wapen vast.

Er wervelde een windvlaag over het strand.

Plotseling keek de hond met een ruk naar het oerwoud, recht naar de plek waar Abeke zat. Hij liet een diep gegrom horen. Een paar mannen volgden de blik van het beest en Abeke moest zich inhouden om niet meteen weg te rennen. Als ze in beweging kwam terwijl ze naar haar keken, zou ze zichzelf onmiddellijk verraden. Ze moest op de beschutting van de bladeren en de schaduwen vertrouwen.

Het gegrom van de hond ging over in een fel, aanhoudend geblaf.

'Wat is er, Admiraal?' vroeg de man met de kap, terwijl hij in de richting van Abeke tuurde.

De reuzenhond begon nog harder te blaffen.

'Nee, nee, nee,' fluisterde Abeke.

Woest beukte de hond tegen de zijkant van de kooi. De mannen schreeuwden naar elkaar, maar door het lawaai kon Abeke niet verstaan wat ze zeiden. De blaffende hond ging nu als een dolle tekeer in de kooi, die hevig stond te schudden. De hond begon tegen het dak te bonken en het hout barstte en versplinterde.

Abeke voelde scherpe tanden in haar arm. Uraza beet haar zachtjes. Zodra ze Abekes aandacht had, sloop de luipaard terug het bos in. Abeke volgde haar vlug.

Het tumult achter haar hield aan, tot er plotseling een luid gekraak klonk. Toen Abeke over haar schouder keek, zag ze dat de enorme hond door het dak van de kooi brak en dat de tralies alle kanten op vielen. Een paar mannen deden nog een halfslachtige poging om hem met hun speer tegen te houden, maar de monsterhond trok zich daar niets van aan en daverde met grote passen op Abeke af. Het zand stoof in het rond.

Uraza en Abeke begonnen naast elkaar te rennen. Abeke liet alle voorzichtigheid varen en stormde door het oerwoud. Ze wou dat ze meer wapens had meegenomen dan alleen een mes. Maar welk wapen zou iets kunnen uithalen tegen die razende hond?

Het monster denderde achter hen aan. Het felle geblaf en gegrom joeg Abeke op. Ze had geen tijd om een plan te bedenken: ze rende gewoon zo hard ze kon, voortgedreven door pure angst. De bosgrond waar ze eerder nog met Uraza overheen had geslopen, liet haar nu struikelen. Takken striemden haar lijf, wortels grepen haar enkels en het oneffen terrein bleek verraderlijk. Ze viel een paar keer op haar knieën en één keer zelfs plat op haar gezicht, maar ze kwam telkens zo snel mogelijk weer overeind. Klauwend naar de struiken ploegde ze met maaiende armen door het gebladerte.

De enorme hond kwam snel dichterbij. Zijn tanden konden haar nu elk moment te pakken krijgen. Uraza zag ze niet meer. De hond was er bijna. Maar Abeke wilde zich niet zomaar zonder slag of stoot gewonnen geven: ze trok haar mes en draaide zich om.

Onmiddellijk werden haar zintuigen scherper. Ze zag de kolossale hond op zich afkomen en zakte ontspannen door haar knieën. De hond viel aan, maar ze sprong opzij en zwaaide met haar mes. De punt kraste over de flank van het monster toen het beest in een flits voorbijschoot.

Abeke ging achter een boom staan. De hond beukte er zo hard tegenaan dat het oerwoud ervan schudde, maar de stam bleef overeind. Abeke zette het op een lopen; de schuimbekkende hond volgde haar op de voet. Ze struikelde, rolde op haar rug en stak wanhopig haar mes omhoog. De hond vloog naar voren, met enorme tanden in zijn gapende muil.

Met een woest gebrul zoals Abeke nog nooit had gehoord schoot Uraza het donker uit. Ze klemde haar kaken om de zijkant van de hondennek en door de klap werd de aanval van het beest geremd. Een kluwen van luipaard en hond rolde door het oerwoud, grommend en grauwend, met blikkerende tanden en flitsende klauwen. Ze misten Abeke op een haar na.

Instinctief had Abeke de neiging om te vluchten, maar ze wilde ook Uraza helpen. Toen kreeg ze de sterke aandrang om te klimmen. Het gevoel was zo overheersend dat ze in de dichtstbijzijnde boom sprong en haar armen en knieën om de stam sloeg. Er waren geen takken die ze kon pakken, maar ze trok zichzelf op met haar armen en klampte zich vast met haar knieën, en zo kwam ze op de een of andere manier steeds hoger.

Uiteindelijk bereikte ze een paar korte takken waar ze kon uitrusten. Toen ze omkeek, zag ze dat Uraza ook in een boom was geklommen, met een nare rode wond die haar prachtige vacht ontsierde. Onder haar stond de gefrustreerde hond doordringend te blaffen, en daarna begon hij te janken. De boom waar Abeke in zat schudde toen de hond er met manische koppigheid tegenaan ramde. Ze hield zich stevig vast. Haar mes was ze kwijtgeraakt, en ze kon alleen maar hopen dat ze het langer volhield dan haar belager.

Opeens keek de hond met een ruk op en hij rende naar een andere boom. In het maanlicht dat door de bladeren schemerde ontdekte Abeke een donkere gedaante hoog in de takken. Hij had een boog in zijn handen en schoot de ene pijl na de andere op de hond af.

De enorme hond sprong blaffend en grommend omhoog en krabde tevergeefs aan de stam. Ook al was hij al meerdere keren geraakt, hij weigerde dekking te zoeken. Langzaam maar zeker deden de pijlen hun werk. Het beest deinsde achteruit, zette nog twee wankele passen en zakte toen met een klaaglijk gejank op de bosgrond in elkaar.

De gedaante klom naar beneden. Hij bleef even staan naast de snel krimpende hond en liep toen naar de boom waar Abeke in zat. 'Kom er maar uit, Abeke,' riep hij op gedempte toon. Die stem kende ze! 'Hij is dood. Kom naar beneden, we moeten hier weg.'

Met haar armen om de stam gleed Abeke omlaag en liet zich op de grond vallen. 'Shane! Hoe heb je me gevonden?'

'Je dacht toch niet dat ik jou in je eentje midden in de nacht door het oerwoud liet zwerven?' vroeg hij.

'Ben je me gevolgd?'

'Niet zo hard,' waarschuwde Shane, en hij tuurde het bos in. 'Ik wil niet dat die mannen op het strand ons te pakken krijgen.'

'Die mannen,' zei Abeke zachtjes. 'Ze hebben die hond in een monster veranderd! Ze gaven hem een of ander drankje.'

'Ik weet wie het zijn,' zei Shane. 'Ik kwam er pas achter dat ze hier waren toen het al te laat was. Anders had ik je wel een andere kant op gelokt.'

'Hoe ver liep je achter me?'

'Te ver. Ik probeerde niet te laten merken dat ik er was, hoewel jouw luipaard daar volgens mij niet intrapte.'

'Wat waren die mannen daar aan het doen?'

'Ze zoeken een vervanging voor de Nectar. Ze proberen hun brouwsels stiekem uit.'

'De Nectar maakt geen monsters!'

'Die mannen testen verschillende middeltjes,' zei Shane. 'Ik weet niet precies wat ze allemaal van plan zijn, maar als ze ons hier betrappen zijn we de pineut. We moeten gaan.'

Uraza sloop naar hen toe. Haar flank bloedde nog steeds. Abeke zakte naast haar luipaard op haar hurken en sloeg haar armen om de hals van het dier. 'Dank je wel,' fluisterde ze. 'Je hebt mijn leven gered.'

Visioen

Het zonlicht stroomde door een glas-in-loodraam het ruime voorvertrek in en wierp kleurige patronen op de vloer. Briggan ging op onderzoek uit en snuffelde in de hoekjes en aan de meubels. Telkens als de wolf door het licht liep, glansden er bonte vlekken op zijn grijs-witte pels. Conor wist niet meer hoe lang ze al aan het wachten waren. Hij vond het ontzettend frustrerend dat hij nog steeds de hele tijd in een kasteel zat opgesloten, ook nu hij eindelijk niet meer voor Devin hoefde te sloven. Hij merkte aan alles dat Briggan het ook maar niets vond om de hele tijd binnen te moeten zitten.

De deur ging open en Rollan kwam naar buiten, met Essix op zijn schouder. Conor en Briggan keken verwachtingsvol op. Blijkbaar waren Lenori en Rollan eindelijk klaar.

'Jouw beurt,' zei Rollan.

'Hoe was het?' vroeg Conor.

Rollan haalde zijn schouders op. 'Ze wilde weten waar ik over droomde. Als het een examen was ben ik waarschijnlijk niet geslaagd. Veel plezier.'

Conor liep de kamer in. Lenori zat te wachten in een grote, zachte fauteuil waar haar kleine gestalte helemaal in wegzonk. Haar groene mantel lag op een tafeltje naast haar. Er waren veren door haar lange haar gevlochten en om haar hals en polsen hingen kralenkettingen en armbanden. Haar blote voeten rustten op een laag voetenbankje; haar voetzolen waren eeltig en bruin.

Naast haar stoel zat een bijzondere vogel op een hoge, draagbare zitstok. De vogel had een slanke hals, een gekromde snavel en veren in alle kleuren van de regenboog. Lenori gebaarde naar een stoel vlak bij haar. Conor ging zitten, met Briggan naast hem op de grond. Ze keek hem aan met ogen die net zo onpeilbaar waren als de zee. Hij vroeg zich af of ze zijn gedachten kon lezen.

'Hoe gaat het met je, Conor?'

De vraag klonk vriendelijk en oprecht. 'Met mij? Als ik heel eerlijk ben, vraag ik me de hele tijd af of Briggan wel aan de juiste persoon is verschenen.'

Lenori glimlachte. 'Geen enkel dier zou zich aan de verkeerde persoon verbinden, en een Koningsdier al helemaal niet. Vanwaar die ongerustheid?'

Conor wou dat hij niets had gezegd. Haar houding was ontspannen, maar aan die opmerkzame ogen viel niet te ontsnappen. 'Ik had dit gewoon allemaal nooit verwacht.'

'Ik denk dat ik het wel begrijp.' Haar stem was zacht en melodieus. 'Je moet niet van jezelf verwachten dat je er van de ene op de andere dag aan gewend bent. Je groeit vanzelf in je rol. Vertel eens wat je hebt gedroomd sinds Briggan naar je toe is gekomen.'

Conor dacht even na. 'Ooit heb ik in het echt een roedel wolven moeten wegjagen om mijn schaapskudde te beschermen. Die nacht beleef ik de laatste tijd erg vaak opnieuw in mijn dromen.' Hij keek even naar Briggan, die zijn tong uit zijn open bek liet hangen. Dit kwam voor een wolf het dichtst in de buurt van lachen.

'Ben je in je dromen ook nog door andere dieren bezocht?' vroeg Lenori.

'Ik weet het niet,' zei Conor. 'Een tijdje geleden heb ik een ram gezien. Zo een met van die grote, gekrulde hoorns.'

Lenori boog zich naar voren. 'Waar was die ram? En wat deed hij?'

Hij zag het allemaal weer levendig voor zich. Het was zo'n zeldzame droom die ontzettend echt had geleken, zelfs nu hij eraan terugdacht. Hij had een hoge, ruige berg beklommen, met ruwe stenen die ijskoud aanvoelden onder zijn handen. Op een gegeven moment had hij een punt bereikt op de steile bergwand waar hij niet meer verder kon, maar hij kon ook niet meer terug zoals hij gekomen was.

De wind was aangewakkerd en hij had zich ellendig vastgeklampt aan de berg, in de wetenschap dat hij alleen maar verder kon of terug, waarbij hij hoe dan ook zou vallen. Zijn spieren brandden en de lucht was te ijl om zijn longen te verzadigen, maar hij had zich uit alle macht vastgehouden, ook al wist hij dat hij uiteindelijk zou moeten opgeven en te pletter zou storten. Waarom was hij zo hoog geklommen?

Omdat hij ook zou vallen als hij bleef hangen, besloot hij dat hij verder moest, ook al kon hij zijn handen bijna nergens neerzetten. Hij strekte zich uit en haakte zijn vingertoppen in een piepklein scheurtje in de rotsen boven hem. Toen hij op zoek ging naar een volgend houvast kwam de zon boven de top van de berg uit, en het licht verblindde hem.

Met samengeknepen ogen, een van pijn vertrokken gezicht, brandende armen en wegglippende tenen tastte hij rond naar iets wat hij met zijn rechterhand kon vastpakken. Op dat moment was er een schaduw over hem heen gevallen en toen hij omhoog tuurde zag hij het enorme silhouet van een ram die vanaf een hoger punt op de rotswand op hem neerkeek. Toen hij het beest zag vergat hij zijn benarde situatie. Hij had heel lang naar het dier gestaard en toen konden zijn handen hem niet meer houden. Met een gekwelde schreeuw was hij naar beneden gesuisd. Net voor hij de grond raakte, was hij nat van het zweet wakker geworden.

'Ik was in de bergen,' zei Conor. 'Ik zag hem vlak voor ik wakker werd. De zon scheen in mijn ogen. De ram was groot, maar ik kon hem niet goed zien.'

'Heb je ooit met dikhoornschapen gewerkt?' vroeg Lenori.

'Nee. Maar ik heb wel afbeeldingen van Arax gezien. Mijn ouders hebben een plaatje van hem. De ram uit mijn droom leek op hem.'

'Léék hij erop, of was hij het zelf?'

Conor merkte hoe geïnteresseerd ze opeens was. Knipperde die vrouw nooit met haar ogen? Hij wist het antwoord op haar vraag, maar toch voelde hij zich ongemakkelijk. Hij was bang dat hij opschepperig zou klinken. Hij keek even weg en toen weer terug. 'Het was maar een droom. Maar ik denk dat het Arax was, ja.'

'Heb je ooit over de andere Koningsdieren gedroomd? Rumfuss? Tellun? Ken je ze allemaal?'

Conor grinnikte een beetje beschaamd. 'Ik weet dat het er in totaal vijftien zijn, de Vier Gevallenen en dan nog elf andere. Ik ben er niet zo in thuis. Ik kan er nog een paar noemen: Cabaro de Leeuw, Mulop de Octopus, en Arax natuurlijk. Alle herders kennen Arax. Als ik er even voor zou gaan zitten, zou ik ze wel uit mijn hoofd kunnen leren.'

'De Koningsdieren beschermen Erdas al sinds onheuglijke tijden. We zouden ze eigenlijk allemaal beter moeten kennen. Naast de bekende vier en de namen die jij noemde, zijn er ook nog Tellun de Wapiti, Ninani de Zwaan, Halawir de Adelaar, Dinesh de Olifant, Rumfuss het Everzwijn, Suka de IJsbeer, Kovo de Aap en Gerathon de Slang.'

Conor merkte dat Briggan zijn oren spitste. 'Over de andere heb ik niet gedroomd, alleen over die ram. Mag ik vragen waarom u dat zo graag wilt weten?'

'Ik denk dat het niet zomaar een droom was.'

Briggan stond op en keek haar indringend aan.

'Volgens mij is de wolf het met me eens,' zei Lenori.

Briggan blafte zo plotseling dat Conor ervan schrok.

'Soms hebben dromen helemaal geen betekenis en soms zijn

ze voorspellend,' zei Lenori. 'Het duurt wel even voordat je de verschillende dromen van elkaar kunt onderscheiden. De dromen waar Meilin en Rollan mij over vertelden waren niets bijzonders. Ik had op meer gehoopt van Meilin, maar ze moet eerst een hechtere band met Jhi krijgen. Ik vermoedde al dat jouw dromen betekenisvoller zouden zijn, en je hebt me niet teleurgesteld.'

Conor ging een beetje verzitten. 'Waarom vermoedde u dat?'

'Briggan was een Koningsdier met veel inzicht. Hij staat bekend als Roedelleider, Maanloper en, heel belangrijk, de Gids.'

Conor stak zijn hand uit en woelde door de ruige vacht van Briggans nek. 'Ben jij dat echt allemaal?'

Briggan draaide zijn kop om en stak zijn tong uit om weer een wolvengrijns te laten zien.

'Ik heb Arax de Ram laatst ook gezien,' zei Lenori. 'Daarom zijn we hier in Amaya in Schemerslot bijeengekomen, omdat dit de Groenmantelvesting is die het dichtst bij zijn domein ligt.'

'Weet u waar hij is?' vroeg Conor.

'Niet precies,' zei Lenori. 'Maar ik hoop dat we hem samen kunnen vinden. Briggan en de andere Gevallenen zijn onlangs teruggekeerd, maar verder zijn de Koningsdieren al jarenlang niet meer gezien. Bovendien is Arax erg op zichzelf. Hij is het liefst in de bergen, waar hij de wind en het terrein van de hoogste gebieden ter wereld beïnvloedt. We kunnen hem niet op de bonnefooi gaan zoeken. West-Amaya is een woestenij. Zonder hulp zouden we jarenlang kunnen ronddwalen zonder ook maar een spoor van hem te vinden.'

Lenori zweeg even en zei toen zacht: 'Zou je eens willen proberen om een visioen op te roepen?'

'Ik?' vroeg Conor. Hij was geen ziener. 'Hoe bedoelt u?'

'Briggan kan de band met jou misschien gebruiken om informatie te delen die hij heel ver weg heeft opgevangen.'

Conor wreef met zijn handen over zijn ogen. 'Ik zou niet weten waar ik moest beginnen.'

Lenori liep naar Conor toe en knielde voor hem neer. Ze nam zijn handen in de hare. Hij probeerde niet helemaal te verstijven.

'Sommige Groenmantels weten dit niet,' legde Lenori uit, 'maar totemdieren helpen ons niet alleen om sneller met een zwaard te zwaaien. Bepaalde aspecten van de band met je dier zijn waardevoller dan hard rennen of hoog springen. Als je je ontspant, kan ik het misschien laten zien.'

'Ik wil het wel proberen,' zei Conor. Hij kon zich in elk geval niet ontspannen als zij zijn handen bleef vasthouden.

Misschien voelde ze dat aan, want Lenori schoof een stukje naar achteren. 'Probeer het niet te forceren,' was haar aanwijzing. 'Ontspan je en richt je op Myriam, mijn regenboogibis. Kijk naar haar zoals je op een mooie avond naar een kampvuur zou kijken.'

De vogel op de stok spreidde haar kleurige vleugels. Ze wipte zachtjes op en neer, waardoor er watervallen van kleur door haar sprankelende verenkleed golfden. Conor probeerde de instructies van Lenori op te volgen en probeerde te bedenken hoe hij normaal gesproken naar een kampvuur keek. Hij deed zijn best om niet te veel naar één bepaald punt te staren. Zonder op de details te letten richtte hij zijn aandacht op de regenboogibis.

Lenori praatte tegen hem, maar Conor werd opgeslokt door de cadans van wat ze zei. Het melodieuze ritme van haar stem gaf hem een rustig, prettig gevoel. Vaag merkte hij op dat Briggan een rondje draaide, eerste de ene kant op en toen de andere. Hij werd heel erg slaperig. Hij knipperde met zijn ogen, maar dat leek niet te helpen. Elke keer dat hij zijn ogen dichtdeed werd de kamer juist nog waziger.

Conor staarde een mistige tunnel in. Waar was die opeens vandaan gekomen? Hij vloog door de nevelige doorgang zonder dat hij leek te bewegen. Aan de andere kant zag hij een grizzlybeer en een wasbeer over een uitgestrekte bruine prairie rennen. Hij dwong zichzelf om sneller te vliegen, tot hij naast hen zweefde.

Hij voelde geen wind in zijn gezicht; nergens kon hij aan zien wat een vaart hij had. Maar de wollige grizzlybeer rende hard, en de wasbeer ook. Ze hadden hun blik allebei strak op de horizon gericht. Toen Conor naar voren keek, zag hij een indrukwekkende bergketen. Boven op een top in de verte stond een ram in de zon.

Zodra hij zijn ogen op de ram richtte, merkte Conor dat er van achteren aan hem werd getrokken. Zonder het te willen vloog hij terug de mistige tunnel in, tot de dieren stipjes in de verte waren geworden. De tunnel stortte in en loste op in het niets. Conor besefte dat Lenori, Briggan en de regenboogibis allemaal geconcentreerd naar hem keken. Hij was zweterig. Hij had een vreemde smaak in zijn mond en zijn hoofd voelde een beetje duf, alsof hij heel lang geslapen had.

'Wat heb je gezien?' vroeg Lenori heel rustig.

'Hè?' Hij was een beetje duizelig. 'Ik... ik zag een wasbeer en een grote, ruige beer. Ze waren op weg naar een stel bergen. Ik zag Arax hoog op de rotsen van een van de bergtoppen staan. Ze renden recht op hem af.'

'Een beer en een wasbeer,' herhaalde Lenori. 'Nog meer?'

'Verder heb ik niet zoveel gezien. Ik heb vooral naar die beer en de wasbeer gekeken. En ik moest eerst door een lange tunnel.'

Lenori glimlachte triomfantelijk. Ze pakte zijn hand en gaf er een zacht kneepje in. 'Het is je gelukt, Conor. Volgens mij heb je ons de weg gewezen.'

Binnen een uur werd Conor langs minstens tien gewapende bewakers en door meerdere dubbele deuren naar een hoge kamer met dichte gordijnen geleid. Daar bleken Olvan, Lenori, Tarik, Rollan en Meilin met hun totemdieren op hem te wachten. De otter van Tarik schoot met snelle bewegingen de kamer door en klom over de meubels en boekenkasten. Het leek een beetje gek dat Tarik en Lumeo bij elkaar hoorden, omdat de lange Groenmantel juist zo serieus was. De enorme eland van Olvan stond bij de haard, duidelijk niet op zijn plek binnenshuis. De statige kamer deed Conor denken aan de studeerkamer van de graaf van Trunswick, maar deze ruimte was zelfs nog groter.

Olvan stond op, wreef in zijn grote handen en liet zijn scherpzinnige, wijze blik door de kamer glijden. Ondanks zijn witte haar en baard had hij gespierde, sterke armen en benen en een brede borstkas. Op zijn oude dag had hij nog niets aan kracht of energie ingeboet. Conor zag zo voor zich hoe deze man op zijn eland een leger zou aanvoeren.

De leider van de Groenmantels schraapte zijn keel. 'Ik weet dat we jullie nogal in spanning hebben laten zitten over de rol die we voor jullie in gedachten hebben. Het is mijn schuld dat het zo lang heeft geduurd: ik wilde eerst het hele verhaal horen voor ik het aan jullie zou vertellen. We denken dat jullie heel belangrijk voor ons zullen worden, en jullie toetreding tot de Groenmantels is pas de eerste stap. Gezien de recente ontwikkelingen,' hij knikte even naar Conor, 'is het nu tijd om in actie te komen.'

Olvan liep naar de schoorsteenmantel. Met een ernstige blik draaide hij zich om naar de anderen. 'Vele eeuwen geleden, tijdens de laatste wereldoorlog, streden de vier landen van Erdas tegen de Verslinder en zijn leger van Veroveraars. Twee Koningsdieren vochten mee met de Verslinder: Kovo de Aap en Gerathon de Slang. Vier Koningsdieren kozen onze kant. Drie van hen zijn hier aanwezig.'

Olvan zweeg even om dat tot iedereen te laten doordringen. Beschroomd keek Conor naar Briggan. De wolf zat aandachtig te luisteren.

'Voordat de oorspronkelijke Essix, Briggan, Jhi en Uraza zich in de strijd mengden, waren we aan de verliezende hand. Alle continenten hadden te lijden onder de oorlog. Nilo en Zhong waren grotendeels gevallen. Veel Zhongesen en Niloanen vluchtten naar Eura en Amaya, om er vervolgens achter te komen dat die landen ook werden belegerd. Steden werden met de grond gelijkgemaakt. Voedsel was schaars. Het was slechts een kwestie van tijd voor de Verslinder de overwinning zou opeisen.

De Groenmantels waren op dat moment nog een prille organisatie, maar toen vier Koningsdieren hun hulp aanboden, sloten de Getekenden zich in groten getale bij ons aan. De Groenmantels deden wat nog niemand had gedaan: ze zetten de tegenaanval in en namen het op tegen de Verslinder. De vier Koningsdieren kwamen om bij de gevechten, en daarom staan ze bekend als de Vier Gevallenen. Maar de Verslinder kwam ook om, en Kovo en Gerathon werden gevangengenomen. We hebben een hoge prijs betaald, maar de vier landen kwamen als overwinnaar uit de strijd en konden aan de wederopbouw beginnen.'

'En de overige Koningsdieren?' vroeg Rollan. 'De andere negen?'

Olvan haalde zijn schouders op. 'Toen ze zagen wat een ellende twee leden van hun eigen soort hadden veroorzaakt, boden enkele Koningsdieren aan het eind van de oorlog alsnog hun hulp aan. Tellun de Wapiti, de sterkste van allemaal, sloot Kovo en Gerathon op om hen te straffen en Ninani de Zwaan gaf de Groenmantels het geheime Nectarrecept. En de rest... tja, de Koningsdieren vormen een vreemde groep. Ze zijn het zelden met elkaar eens en hun bedoelingen zijn vaak ondoorgrondelijk. Ze houden zich meestal afzijdig, en bemoeien zich alleen met ons in tijden van extreme nood.'

'En de Verslinder was niet erg genoeg?' schamperde Rollan.

Olvan zuchtte. 'We kunnen alleen maar gissen. Misschien leek het sommige Koningsdieren beter om hun eigen territorium te beschermen, of hun talisman.'

Conor keek vragend naar Lenori.

'Alle Koningsdieren hebben hun eigen talisman die ze beschermen,' legde Lenori uit. 'Een totem die heel veel kracht geeft.'

'Behalve Kovo, Gerathon en de Vier Gevallenen,' zei Meilin. 'Hun talismans zijn na de oorlog verdwenen. Sommige mensen denken dat Tellun aan Halawir de Adelaar heeft gevraagd ze te verstoppen.'

'Juist,' zei Olvan. 'Jij hebt goed opgelet bij geschiedenis. De gebeurtenissen rond de Koningsdieren worden vaak afgedaan als legendes. Ik ben blij dat sommige inwoners van Zhong het belangrijk vinden dat die daden niet alleen in sprookjes voortleven.'

Meilin bloosde een beetje. 'Mijn kinderjuffrouw heeft me dat verteld, mijn leermeesters niet.'

Olvan fronste zijn wenkbrauwen. 'De Koningsdieren maken al heel lang geen deel meer uit van ons leven. We eren de Gevallenen op onze vlaggen, we maken schilderijen, bouwen standbeelden en vertellen verhalen, maar voor de meeste mensen behoren de Koningsdieren tot een ver verleden. Sommigen betwijfelen zelfs of ze wel echt bestaan hebben.'

'Ik was ook zo iemand,' zei Rollan. 'Tot Essix langskwam.'

Olvan knikte. 'Daar kun jij verder ook niets aan doen. Heel veel mensen denken er zo over, onder wie de minister-president van Amaya, de koningin van Eura, de keizer van Zhong en het stamhoofd van Nilo. En toch hebben de Koningsdieren op de meest beslissende momenten in de geschiedenis altijd een grote rol gespeeld. En we stevenen momenteel in ijltempo op een ramp af waarbij de Koningsdieren misschien wel belangrijker dan ooit zullen blijken te zijn.'

'Denkt u dat de Verslinder terug is?' vroeg Meilin, trillend van opwinding. 'Denkt u dat hij degene is die Zhong heeft aangevallen? Waarom heeft niemand ons gewaarschuwd?'

‘We hadden slechts een vermoeden,’ zei Olvan treurig. ‘Ik heb mijn best gedaan om de leiders van alle landen te waarschuwen. Maar ik kan hen niet dwingen naar mij te luisteren.’

‘En we weten nog steeds niet wat er nu precies aan de hand is,’ vulde Lenori aan.

Olvan knikte. ‘We krijgen elke dag nieuwe informatie binnen. Of we met dezelfde Verslinder te maken hebben die lang geleden een groot deel van Erdas verwoest heeft, of met een soort erfgenaam die zijn werk heeft voortgezet, is nog steeds niet duidelijk. Wat wel duidelijk is, is dat de Verslinder in korte tijd grote, sterke legers kan verzamelen. Hij kan geduldig en subtiel zijn maar ook wreed en roekeloos, net waar de situatie om vraagt. Zijn volgelingen zijn ontzettend toegewijd, tot op het waanzinnige af. En hij zou met plezier de beschaafde wereld vernietigen om over de puinhopen te regeren.’

‘Wat verwachten jullie van ons?’ vroeg Conor.

Olvan keek Conor, Meilin en Rollan om beurten aan. ‘Onze spionnen hebben ontdekt dat de Verslinder opnieuw alle talismans wil verzamelen. Elke talisman heeft andere krachten die door een Getekende gebruikt kunnen worden. Onze vijand wil die krachten tegen ons inzetten. Daarom moeten wij de talismans terug zien te krijgen, voordat ze in zijn handen vallen.’

‘Wacht even,’ zei Rollan, en hij trok wit weg. ‘Willen jullie dat wíj achter de talismans van de Koningsdieren aan gaan?’

‘Jullie gaan niet alleen,’ zei Olvan. ‘Tarik is de beste krijger van de Groenmantels. Hij zal jullie leiden en beschermen. Ik vind het vervelend dat jullie nog zo jong zijn, maar alleen door jullie band met de Gevallenen zullen we de talismans kunnen opsporen en terughalen. Deze talismans kunnen de loop van de oorlog veranderen. Heel Erdas heeft jullie nodig.’

Toen de enorme omvang van de taak tot hem doordrong werd Conor een beetje licht in zijn hoofd. Hoe moest hij het in hemelsnaam opnemen tegen een Koningsdier? Dat was levensgevaarlijk. In feite had Olvan hem zojuist zijn doodvonnis overhandigd.

Hij stak zijn hand uit naar Briggan en de wolf drukte zijn snuit in zijn handpalm. Zonder Briggan zouden ze niet weten waar ze Arax moesten zoeken. Conor probeerde zich te vermannen. Olvan had gelijk: als de Verslinder die talismans wilde, moesten de Groenmantels ze eerder zien te vinden. Conor wist niet zo goed hoe ze dat gingen aanpakken, maar ze moesten het in elk geval proberen. 'Wij zullen onze uiterste best doen,' beloofde Conor, hoewel zijn stem oversloeg.

'Eh, jíj misschien,' zei Rollan.

'Ik had het over mij en Briggan,' legde Conor blozend uit.

'Aha,' antwoordde Rollan. Hij keek naar Olvan. 'Nou, ik snap waarom jullie ons nodig hebben. Ik vraag me alleen af wat wij eraan hebben. Behalve dat we ons leven op het spel zetten om iets te doen waar we nog helemaal niet aan toe zijn.'

'Dit is je plicht als Groenmantel,' zei Lenori kalm. 'Je beloning is dezelfde als die voor ons: het bevredigende gevoel dat je het goede verdedigt, dat je Erdas verdedigt.'

'Ik ben geen Groenmantel,' zei Rollan. 'Misschien word ik dat wel nooit.'

'Wij doen het wel,' zei Meilin met een afkeurende blik op Rollan. 'Jhi en ik. Hier heb ik op gehoopt: nu kunnen we eindelijk echt iets doen. Ik heb gezien wat ons te wachten staat. Zhong beschikt over de beste legers van de wereld, maar die nieuwe Veroveraars scheuren ons aan stukken. We mogen ze niet nog sterker laten worden. We moeten ze tegenhouden. Ik zou het een eer vinden om me aan te sluiten bij de Groenmantels en Zhong te verdedigen.'

Conor keek Meilin bewonderend en ook een beetje angstig aan. Hij kon zich nauwelijks voorstellen welke ontberingen ze konden verwachten, maar hij en Briggan stonden er in elk geval niet alleen voor. Wie dacht Rollan wel niet dat hij was? Wat verwachtte hij voor beloning?

Rollan slaakte een zucht. ‘En als ik nou geen Groenmantel wil worden?’

‘Wat ben jij ongelooflijk egoïstisch,’ brieste Meilin. ‘Zhong is aangevallen. Straks is de rest van Erdas aan de beurt. En dan verlang jij als lafaard in oorlogstijd allerlei fantastische aanbiedingen?’

‘Ik heb nog nooit een aanbod gekregen, tot Essix opeens aan kwam vliegen,’ snauwde Rollan. ‘Pas toen ik mijn vogel kreeg vonden de Groenmantels me interessant. De hele stad zit vol met wezen zoals ik, maar hun galoppeerde Olvan maar al te graag voorbij in zijn haast om bij Essix te komen. Misschien vraag ik me wel af waarom alleen Getekenden zich bij de Groenmantels mogen aansluiten. Misschien vraag ik me wel af wie hen tot leider van de Koningsdieren en de talismans heeft benoemd. En misschien vind ik het, anders dan jij, niet fijn om in situaties gedwongen te worden die ik niet kan overzien! Ik wil weten voor wie ik werk en waarom.’

Olvan keek even naar Tarik en Lenori. Hij stond langzaam op en liep naar de plek waar Rollan zat, tot hij recht voor hem stond en op hem neer kon kijken. Conor vroeg zich af of hij Rollan bang probeerde te maken, maar toen de grote man zijn mond opendeed, klonk zijn stem beheerst. ‘Ik begrijp dat je zo’n belangrijke beslissing niet overhaast wilt nemen. Ik denk ook dat je niet meer aan onze oprechtheid zult twijfelen als je een tijd in ons midden hebt doorgebracht. Wij zien onszelf niet als de leiders van de Koningsdieren. We doen wat we doen omdat we weten dat wij, samen met de Koningsdieren, de laatste verdedigingslinie vormen.’

‘En de regeringen dan?’ vroeg Rollan. ‘De minister-president en al die andere lui?’

Olvan trok een sceptisch gezicht. ‘Die doen hun werk. Ze besturen het land. Ze maken wetten en zorgen dat de mensen zich daaraan houden. Ze kibbelen over de handel en af en toe vechten ze met elkaar. Het is maar gekibbel, menselijk gekibbel. Maar wij hebben de gave gekregen om verder te kijken dan menselijke belangen. Wij hebben allemaal een totemdier gekregen. En daarom zullen wij Erdas – heel Erdas – beschermen, met alles wat in onze macht ligt.'

Rollan perste zijn lippen op elkaar. 'Ik ben niet gek. Ik wil ook niet dat Erdas vernietigd wordt.' Hij dacht even na. 'Stel... Stel dat ik me nog niet bij de Groenmantels kan aansluiten, maar wel wil helpen?'

'Mag ik je een ander voorstel doen?' vroeg Olvan. 'We werken heel vaak samen met Getekende personen die onze eed niet hebben afgelegd. Normaal gesproken houden we dit soort belangrijke zaken geheim voor deze mensen, maar deze situatie vraagt om een uitzondering.'

'Ik zal er een nachtje over slapen,' zei Rollan.

Conor draaide zich om en deed zijn ogen dicht. Wie er ook nog meer meeging, morgen zou hij de wildernis in trekken om een legende te zoeken. Hij boog zich dicht naar zijn wolf toe en fluisterde: 'Waar zijn we aan begonnen?'

Droom

Meilin wandelde over een houten pad door een prachtig verzorgde tuin, met een verfijnd parasolletje over haar schouder. Ze kwam bij een brug over een beekje tussen twee vijvers. Onder haar maakten sierkarpers lome kringen in het water; hun rode, oranje, gele en witte schubben lichtten op tussen de paarse bloemen van de waterlelies.

Het huis ging schuil achter bomen en struiken, maar Meilin herkende de tuin van haar opa Xao uit duizenden. Haar hele jeugd had ze over deze paden gezworven, gehuld in de geur van deze bloemen.

Een eind verderop kwam een panda haar tegemoet. Meilin fronste haar wenkbrauwen. Op de vissen in de vijvers en de vogels in de bomen na waren er nooit dieren in de tuin.

De panda liep naar de brug en ging op haar achterpoten voor Meilin staan. 'Je mist Zhong,' zei de panda met een diepe vrouwenstem. Om de een of andere reden vond Meilin het niet gek dat het dier kon praten.

'Hoe kom je daarbij?'

De panda gaf geen antwoord.

Plotseling kwamen alle herinneringen terug. Lenori had haar weggehaald uit Zhong. Terwijl haar vader het tegen een afschuwelijke meute soldaten moest opnemen, was Meilin naar de andere kant van de wereld gevlucht, naar Amaya, het Nieuwe Land.

Hoe was ze in deze tuin beland? Ze was hier niet echt. Dit was een droom.

Meilin keek de panda nieuwsgierig aan. 'Ben jij Jhi?'
De panda knikte even. 'Het spijt me dat ik je zo teleurstel.'
'Je stelt me niet...' begon Meilin, maar ze kon de zin niet afmaken. Ze zuchtte. 'We zijn in oorlog. Ik had gehoopt op een dier dat me beter zou laten vechten. Ik vind je heel aardig, maar... mijn land en mijn vader zijn in gevaar.'
'Ik wil jou ook aardig vinden. Als je me een kans geeft zul je misschien nog wel merken dat je meer aan me hebt dan je denkt.'
'Lenori zei dat jij mensen beter kon maken. Je werd de Vredestichter en de Genezer genoemd.'
'Onder andere. Meilin, luister goed. Je moet naar binnen. Dit is geen weer voor een wandeling.'
Meilin keek naar de lucht. Alleen in de verte waren een paar witte wolkenslierten te zien. De zon scheen fel. 'Het ziet er anders prima uit.'
'Je moet hier niet blijven staan,' zei de panda.
De waarschuwing maakte haar onzeker en er liep een lichte rilling over haar rug. Meilin keek om zich heen, op zoek naar gevaar.
'Doe je ogen dicht,' zei Jhi dringend. 'Vergeet deze illusie. Let heel goed op.'
Meilin deed haar ogen dicht. Waar moest ze dan op letten? Een kille wind streek langs haar huid. Ja, nu merkte ze dat het eigenlijk heel erg koud was. Koud en nat. Huiverend sloeg ze haar armen om haar lijf.
Meilin deed haar ogen open, maar de tuin was nog precies hetzelfde. De panda staarde haar aan.
'Ik heb het koud,' zei Meilin.
'Je moet hier niet blijven staan,' herhaalde Jhi.
Meilin draaide zich om en rende over het houten pad. Het leek nog steeds een aangename dag, maar haar huid voelde koud en nat aan. Met dreunende passen volgde ze het bochtige pad naar de deur in de muur. Als ze uit de tuin kon ontsnappen, kon ze misschien ook uit de droom ontsnappen.

De deur doemde voor haar op. Meilin raakte van slag door de vreemde kou en bleef op haar hoede voor gevaar, maar in de tuin was alles nog steeds rustig. Toen ze bij de deur was, merkte ze dat die op slot zat. Ze rammelde aan de kruk en duwde er met haar schouder tegenaan, maar de deur week geen centimeter.

Meilin bleef staan. Ze had kippenvel op haar armen. Dit was een droom. Stel dat ze zich voorstelde dat zij sterker was dan de deur? Ze deed een paar stappen terug, duwde haar schouder naar voren en stormde op de deur af.

De klap voelde akelig echt. Toen ze achteruit wankelde en op de grond viel, werd Meilin met een schok wakker. Ze deed haar ogen open en begreep niets van wat ze zag. Het was donker. Ze zat in haar pyjama in de stromende regen. In het vage maanlicht ontdekte Meilin dat ze op het dak van een toren zat, omringd door kantelen. Dit was Schemerslot! Maar wat deed ze hierboven, midden in de nacht in deze stortbui?

Bibberend, ijskoud en kletsnat kwam Meilin overeind.

Voor zich zag ze een stevige houten deur, glad van de regen. Ze voelde aan de hendel. Op slot. Haar schouder deed nog steeds pijn omdat ze tegen het hout gebonkt had.

Dit was al de derde keer sinds ze Jhi had opgeroepen dat ze had geslaapwandeld. Het was nog niet eerder in een droom gebeurd, maar ze was al twee keer wakker geworden terwijl ze op een vreemde plek rare dingen aan het doen was. Zo erg als nu was het nog nooit geweest.

Meilin voelde nog een keer aan de deur, maar die wilde echt niet open. Zou iemand haar horen als ze zou roepen? Als ze hard genoeg op de deur sloeg?

Meilin had Lenori over het slaapwandelen verteld. De Amayaanse had uitgelegd dat mensen vaak nogal heftig op de nieuwe band met hun totemdier reageerden. Levendige nachtmerries waren heel normaal. Stemmingswisselingen. Paniekaanvallen. Sommige mensen kregen zelfs eczeem. Er waren allerlei bijwerkingen bekend. Dat Meilin nu opeens was gaan slaapwandelen, was dus niet heel gek.

Maar dit was belachelijk! Haar tanden klapperden. Straks zou ze nog bevriezen.

Meilin bonkte schreeuwend op de deur, maar echt veel lawaai maakte het niet. De wind wakkerde aan en ze jammerde zachtjes van de kou. Ze stampte met haar voeten en wapperde met haar armen in een poging wat warmer te worden.

Toen hoorde ze gerommel aan het slot en de deur ging open.

Achter de deur was alles donker. 'Hallo?' riep Meilin zachtjes, haar handen tot vuisten gebald. Ze vond het een beetje eng om zomaar de duistere gang in te lopen. De koude regendruppels bleven haar lijf striemen.

In een bliksemflits, de eerste sinds ze wakker was geworden, zag ze heel even een zwart-witte gestalte.

'Jhi?' vroeg Meilin. Een harde donderslag. De deuropening was weer donker. 'Ben jij dat?'

De panda zei niets, en Meilin vond het nogal dom van zichzelf dat ze een antwoord had verwacht.

Meilin stapte uit de regen de gang in, deed de deur dicht en knielde om de panda te knuffelen. Jhi voelde warm en fijn. Meilin hield haar heel lang vast; ze zonk weg in de dikke vacht en genoot als nooit tevoren van de berengeur.

'Ik was weer aan het slaapwandelen,' fluisterde Meilin. 'Dit keer ging het echt bijna mis. Ik ben heel blij dat je naar me toe bent gekomen. Dank je wel.'

De panda reageerde niet, maar Meilin had het gevoel dat ze het begreep. Meilin stond op en legde haar hand tegen de muur om op de tast haar weg te zoeken. 'Kom, we gaan weer naar bed.'

Gar

'Abeke!' riep Shane. 'Abeke, waar ben je?'

Abeke bleef heel stil in haar boom zitten en er kroop een glimlachje over haar gezicht. Uraza lag roerloos op een tak naast haar.

Beneden op de grond baande Shane zich een weg door het struikgewas. Hij kwam steeds dichter bij haar schuilplaats. 'Dit is niet het moment voor spelletjes! Weet je nog dat ik vertelde dat we belangrijke gasten kregen? Die zijn er nu! We mogen ze niet laten wachten.'

Vanaf het moment dat hun schip bij het eiland voor anker was gegaan, had Shane aan één stuk door over die bezoekers gerateld. Hij leek erg onder de indruk van ze.

Shane was in heel veel opzichten haar eerste echte vriend. Niet alleen had hij haar leven gered, hij trainde ook met haar, paste op haar en maakte zelfs lol met haar. Hij vond dat ze goed kon jagen en bewonderde haar kracht en geruisloosheid, dingen die zij zelf ook belangrijk vond. Haar moeder was de enige bij wie ze zich op die manier gewaardeerd had gevoeld.

Maar ze had zo haar twijfels bij de mensen voor wie Shane werkte. Niemand droeg een groene mantel, en toch leken ze erg goed georganiseerd. Ze hadden schepen, een grote vesting en heel veel getrainde soldaten. Ze hadden allemaal een totemdier. Wie waren deze mensen, en waarom werd Uraza zo onrustig van hen? Ze had Shane er nog niet echt naar gevraagd, bang voor wat ze te horen zou krijgen.

Maar dat was niet de belangrijkste reden dat ze zich verstopt had.

'Goed dan, Abeke,' zei Shane. 'Ik geef het toe. Je wordt steeds beter. Zelfs op dit kleine eilandje zou ik jou en Uraza waarschijnlijk kunnen blijven zoeken tot ik een ons woog.'

'Ik wilde het je gewoon even horen zeggen,' antwoordde Abeke.

'Daar zit je!' riep Shane. 'Je hebt echt een heel slecht moment uitgekozen om je gelijk te halen.'

Abeke klom naar beneden. Uraza sprong naast haar op de grond. 'Jij hebt toegegeven dat je me niet kon vinden, dus volgens mij was het juist een heel goed moment.'

'Uraza en jij zijn een echt team,' zei Shane. 'Dat zullen onze gasten fijn vinden.'

'Zijn ze er echt?' vroeg Abeke. Ze had gedacht dat het misschien een smoesje was om haar uit haar schuilplaats te lokken.

'Sterker nog,' zei Shane, 'ze zitten op ons te wachten.'

Abeke werd zenuwachtig, maar ze hoopte dat Shane het niet zou merken. 'Ga jij maar voorop.'

Ze liepen in de richting van de omheinde gebouwen. 'Je kunt Uraza beter in rusttoestand brengen.'

'Maar dan kunnen ze haar helemaal niet zien,' wierp Abeke tegen.

'Het is een teken van hoe goed je al bent,' zei Shane. 'Je bent nog erg jong voor de rusttoestand. En het is een blijk van respect. Sommige totemdieren van onze gasten kunnen niet zo goed met andere dieren omgaan. Als je Uraza bij je houdt, moeten zij hun dieren in rusttoestand brengen. Dat is onbeleefd.'

Abeke begreep wat hij bedoelde, maar was het niet juist onbeleefd van die mensen om te verwachten dat zíj Uraza onzichtbaar maakte, omdat hún dieren vals waren? De bezoekers waren duidelijk heel belangrijk voor Shane, dus ze besloot er geen punt van te maken. Ze stak haar arm uit en riep Uraza bij zich. Met een brandende flits veranderde de luipaard in een tatoeage.

Het was niet ver naar de omheinde vesting. Ze gingen door

een hoge ijzeren poort en Shane bracht Abeke naar het hoofdgebouw. Eenmaal binnen liepen ze naar de grootste zaal. Twee bewakers die Abeke niet kende stonden voor een stel zware deuren. Ze maakten een buiging voor Shane en lieten hen binnen.

De bezoekers stonden aan de andere kant van de grote stenen ruimte. Er was een troon neergezet, en daarop zat een koninklijke, oudere man. Hij had grijze slapen en een verweerd gezicht met een forse kin. Op zijn hoofd droeg hij een smalle band in de vorm van een slang die in zijn eigen staart beet. Onder zijn zware wenkbrauwen keken donkere ogen Abeke aandachtig aan.

Achter zijn troon lag een enorme krokodil. Abeke had nooit geweten dat die zo groot konden worden. Van zijn snuit tot zijn staart was hij langer dan vijf volwassen mannen achter elkaar.

'Dat is een koning,' fluisterde Abeke tegen Shane.

'Klopt,' mompelde Shane terug. 'Dus behandel hem alsjeblieft ook zo.'

Aan de ene kant van de man zat een gerimpelde vrouw in elkaar gedoken op een kruk, gehuld in lompen van grof geweven stof. Uit een van haar verschrompelde mondhoeken droop kwijl. Aan de andere kant van de troon stond Zerif. Hij had mooiere kleren aan dan de vorige keer dat ze elkaar hadden gezien, en zijn haar was strak naar achteren gekamd.

'Zerif!' riep Abeke. Ze was zo in beslag genomen door de man op de troon en de krokodil dat ze haar vroegere beschermer pas laat herkende.

Hij knikte haar beleefd toe. 'Ik zei toch dat we elkaar terug zouden zien.' Hij gebaarde naar de troon. 'Mag ik je voorstellen aan generaal Gar, koning van de Verloren Landen. Sire, dit is Abeke, die Uraza heeft opgeroepen.'

'Heel indrukwekkend,' zei de man op de troon. Hij had een gewichtige stem, niet erg zwaar, maar net als zijn gezicht heel gezaghebbend. Een stem die het gewend was om bevelen te geven.

'Is die krokodil van u?' vroeg Abeke.

Generaal Gar trok zijn wenkbrauwen op. 'Jazeker. Het is een zeekrokodil, van het werelddeel Stetriol.'

Abeke fronste. Stetriol? Erdas was onderverdeeld in vier regio's, en die heetten geen van alle Stetriol. Haar ogen gleden weer naar het gigantische reptiel en ze huiverde even. Abeke kon maar één iemand bedenken die ooit een zeekrokodil als totemdier had opgeroepen. De Verslinder.

'Wat is er, Abeke?' vroeg generaal Gar. 'Zeg het maar.'

'Eh...' Abeke aarzelde. 'Ik ken niet zo veel verhalen over mensen met zo'n grote krokodil als totemdier.'

'Eentje maar, hè, om precies te zijn?' zei generaal Gar met een veelbetekenende grijns. Hij maakte een wegwerpgebaar. 'Het is algemeen bekend. In de sprookjes staat overal dat de Verslinder een zeekrokodil opgeroepen zou hebben. Maar de Verslinder is al heel lang dood. Ik weet dat het in de rest van Erdas niet vaak gebeurt, maar in Stetriol kijkt niemand vreemd op als je een zeekrokodil krijgt. Het komt regelmatig voor.'

Abeke keek eerst naar Shane en toen naar Zerif. Zij leken zich nergens zorgen om te maken. 'Juist.'

'Het is echt waar, Abeke,' zei Shane. 'In de geschiedverhalen wordt Stetriol niet genoemd, maar het bestaat echt. Ik ben er geboren.'

'Hij heeft gelijk,' verzekerde Zerif haar. 'De Groenmantels hebben de geschiedverhalen geschreven, en ze hebben Stetriol er bewust uit gelaten. Dat is ook niet zo gek: ze hebben de bewoners van ons continent afschuwelijke dingen aangedaan.'

Abeke keek Zerif onderzoekend aan. 'Maar jij zei toch dat je met de Groenmantels samenwerkte?'

'Ja, af en toe. Er zitten prima lui tussen. Maar andere Groenmantels willen alleen maar macht. Hun organisatie is al een hele tijd corrupt, en het gaat van kwaad tot erger. Hoor eens, niemand kent de Verslinder beter dan de bewoners van Stetriol: dat was het werelddeel dat hij heel lang geleden als eerste veroverde.

We waren de Groenmantels heel dankbaar toen ze ons van die wrede heerser verlosten, maar daarna keerden ze zich tegen óns. Ze wilden iedereen op Stetriol een kopje kleiner maken, ook de vrouwen en kinderen, alsof het de schuld van het volk was dat de Verslinder aan de macht was gekomen. Eerst waren we het slachtoffer van het verschrikkelijke bewind van de Verslinder, en toen de Groenmantels hem verslagen hadden, kregen we nog een keer de volle laag. Een paar mensen zijn gevlucht, en dat zijn de enigen die het overleefd hebben.' Zerifs donkere ogen hielden Abeke in hun greep. 'De Groenmantels schaamden zich voor wat ze hadden gedaan en probeerden net te doen alsof Stetriol nooit had bestaan. Daar zijn ze behoorlijk goed in geslaagd. Het wordt niet genoemd in de verhalen en staat ook niet op de kaart. Maar niet alle bewoners van Stetriol zijn gedood, en er leven nog steeds nakomelingen van de mensen die destijds zijn gevlucht. Generaal Gar is hun koning.'

Abeke keek vragend naar Shane. Dit was allemaal nieuw voor haar, maar het klonk op zich niet onlogisch.

'Ik begrijp dat je verbaasd bent,' zei generaal Gar. 'Misschien ben je zelfs bang dat we kwade bedoelingen hebben, omdat de Groenmantels iedereen die niet bij hen hoort als vijand bestempelen. Maar wij zijn beslist geen vijanden.'

Abeke kende maar één Groenmantel, en dat was Chinwe. Die was altijd een beetje geheimzinnig geweest, maar had ook altijd het beste met het dorp voorgehad. In de verhalen kwamen de Groenmantels steevast als helden naar voren, maar als de Groenmantels die verhalen zelf geschreven hadden...

Generaal Gar ging verzitten en trok zijn wenkbrauwen op. 'De oorlog is al heel lang geleden gevoerd. Wij hebben geen hekel aan de Groenmantels. De beulen die onze voorouders hebben afgeslacht zijn allang dood. Maar je kunt het ons niet kwalijk nemen dat we nogal wantrouwig zijn. Ze hebben al eens geprobeerd ons uit te roeien, en we zijn bang dat ze het nog een keer zullen doen. Daarom moeten wij het al eeuwen zonder de Nectar stellen en gaat het heel vaak mis doordat de band met het totemdier op natuurlijke wijze tot stand komt. Soms gaan mensen zelfs dood.'

Abeke keek weer naar Shane. 'Wat erg! Dus jouw band...'

'Is zonder Nectar ontstaan,' zei Shane. 'Ik heb geluk gehad, maar bij veel vrienden en familieleden was dat niet het geval.' Tot haar verbazing zag Abeke dat Shane tranen in zijn ogen had. Ze had hem nog nooit zo emotioneel gezien.

'We willen de Groenmantels geen kwaad doen,' zei generaal Gar. 'En we hebben ook niets tegen de andere landen van Erdas. We willen gewoon ons volk kunnen beschermen tegen de bijwerkingen van de natuurlijke verbindingen. Maar het probleem is dat de Groenmantels alle Nectar beheren, en daar maken ze misbruik van om alle inwoners van Erdas in hun macht te houden. De Groenmantels zouden de Nectar voor iedereen beschikbaar moeten stellen.'

'Maar ze delen het toch?' vroeg Abeke, denkend aan Chinwe.

'De goeien wel,' beaamde generaal Gar. 'Maar ze delen het alleen op hun voorwaarden. In ruil voor de Nectar willen ze invloed en macht. En dat zijn dan nog de Groenmantels met de beste bedoelingen. Anderen delen de Nectar helemaal niet. Of, nog erger, ze delen nep-Nectar. Het is al een groot probleem in Zhong en Amaya, en het wordt steeds groter.'

'Dat klinkt niet erg eerlijk,' gaf Abeke toe.

'Het ís ook niet eerlijk,' zei Shane. 'Maar we kunnen de Nectar niet zomaar aan ze vragen. Als ze weten dat er nog mensen in Stetriol wonen, willen ze ons misschien alsnog vermoorden.'

'We hebben iets bedacht waarmee we ze wellicht op andere gedachten kunnen brengen,' zei Zerif. 'Wist je dat alle Koningsdieren een talisman hebben?'

'Ik geloof het wel,' zei Abeke onzeker. 'Mijn moeder heeft ze wel eens genoemd in de verhalen die ze vertelde.'

'Alle talismans bezitten krachten die door de Getekenden gebruikt kunnen worden,' legde Zerif uit. 'Op dit moment zijn de Groenmantels op zoek naar de talismans van de Koningsdieren. Ze willen alle talismans hebben, net zoals zij alle Nectar hebben.'

'Wij zijn van plan om die talismans als eerste te pakken te krijgen,' zei generaal Gar. 'Dan móéten de Groenmantels wel naar ons luisteren. En de talismans bieden ons ook bescherming als de Groenmantels een nieuwe poging doen om Stetriol weg te vagen. We willen niet nog meer dierbaren verliezen aan de gevolgen van natuurlijke verbindingen. Omdat we maar met weinig mensen zijn, zetten we alles op het spel om een paar van die talismans in ons bezit te krijgen. Abeke, we hopen dat jij en Uraza ons willen helpen.'

Abeke was in de war. 'Ik? Maar hoe zou ik kunnen helpen? Ik weet helemaal niets van die talismans. Tenzij... Denkt u dat Uraza er een heeft?'

'Uraza is haar talisman kwijtgeraakt toen ze gedood werd, zoals alle Vier Gevallenen,' zei Zerif. 'Niemand weet waar ze gebleven zijn. Dat wordt momenteel uitgezocht. De zus van Shane, Drina, is de leider van het team dat zich daarmee bezighoudt.'

'We vragen je niet om informatie,' verduidelijkte generaal Gar terwijl hij naar het oude vrouwtje op de kruk gebaarde. 'Daar hebben we Yumaris voor. Haar totemdier is een regenworm. Yumaris leeft in haar eigen wereld, maar ze heeft een heel scherpe blik. Door haar heeft Zerif jou gevonden. Ze is onlangs een van de talismans op het spoor gekomen, in Amaya. Ik wil graag dat jij met Zerif en Shane meegaat om ons te helpen die talisman te verkrijgen.'

'Uraza en jij kunnen helpen om de wereld beter te maken,' zei Zerif met een indringende blik. 'Wil je alsjeblieft meegaan om ons land te beschermen en ervoor te zorgen dat iedereen die dat nodig heeft gebruik kan maken van de Nectar?'

Abeke fronste haar wenkbrauwen. Ze had het gevoel dat er iets niet helemaal klopte. Ze vertrouwde Shane, maar het was allemaal te veel om te bevatten. 'En de mannen die die monsters maakten dan?'

Generaal Gar knikte. 'Shane vertelde al over die vervelende ontmoeting. Die mannen horen niet bij ons, maar ik heb wel van ze gehoord. Ze voeren voortdurend experimenten uit in een poging een vervanging voor de Nectar te vinden. Ik sta achter hun wens om de Nectar voor iedereen beschikbaar te maken, maar ik ben het niet eens met de manier waarop.'

'Echt een onaangename samenloop van omstandigheden,' zei Zerif. 'We hebben al een afgezant gestuurd met de mededeling dat ze ontzettend gevaarlijk bezig waren en het dringende verzoek om hun onnatuurlijke experimenten elders voort te zetten.'

Abeke knikte. Ze had al gehoopt dat de mannen die die monsters hadden gemaakt niet bij generaal Gar hoorden, maar ze wilde het zeker weten. Het verhaal van deze mensen klonk aannemelijk. En iedereen had het recht om zijn land te verdedigen. Chinwe had gezegd dat de Groenmantels Erdas beschermden, maar ze was altijd heel zwijgzaam geweest over de Nectar. En Chinwe was vast een van de goede Groenmantels.

Generaal Gar, Zerif en Shane leken allemaal veel waardering voor Abeke te hebben; ze hadden haar zelfs om hulp gevraagd. Ze hadden heel veel moeite gedaan om haar op te sporen en te trainen. Misschien kon ze hen met haar goede jachttechnieken helpen om een paar van die talismans te krijgen.

Shane pakte haar hand. 'Ik snap dat het veel is,' zei hij. 'We zadelen jou op met onze problemen. Als je er even over wilt nadenken, moet je dat gewoon zeggen.'

Abeke schudde haar hoofd. Daar stond ze dan, met een koning die haar om hulp vroeg, samen met de man aan wie ze door haar vader was toevertrouwd, en haar eerste goede vriend ooit.

Later zou ze alle details wel te horen krijgen. Nu moest ze haar uiterste best doen.

Abeke gaf Shane een kneepje in zijn hand. 'Op mij kun je rekenen,' zei ze. 'Ik zal jullie helpen de talismans te zoeken.'

Rotsenstad

Vier paarden draafden over een uitgesleten pad langs lage, borstelige struiken. Af en toe zorgde een lange, hoekige rotsrichel voor wat variatie in het droge, golvende landschap. Rollan sloot de rij. Een week geleden had hij nog nooit op een paard gezeten, maar na een paar dagen in het zadel werd de spierpijn minder en voelde hij zich steeds meer op zijn gemak. De paarden waren door de Groenmantels gefokt om hun kracht en uithoudingsvermogen, maar ook om hun intelligentie en trouw. Echte strijdrossen waren het. Dat was het voordeel van mensen die zo veel ervaring met dieren hadden, bedacht Rollan: dan kreeg je heel goede paarden.

Conor reed voor hem, dan kwam Meilin en Tarik ging voorop. Ze droegen alle drie een groene mantel. Rollan had van Olvan een grijze gekregen.

De leider van de Groenmantels had het op een akkoordje met hem gegooid. Als Rollan hielp de eerste talisman te bemachtigen, zou hij genoeg geld krijgen om een jaar van te kunnen leven en tot officiële vriend van de Groenmantels benoemd worden. Dat hield in dat hij in alle kastelen mocht verblijven en, iets wat Rollan zorgvuldig zwart op wit had laten zetten, hun eten mocht eten. Daarna kreeg hij niets meer tot alle talismans gevonden waren, maar dan zouden de Groenmantels een landhuis voor hem kopen en hem zo veel geld geven dat hij de rest van zijn leven in luxe kon doorbrengen. Olvan had benadrukt dat Rollan wanneer hij maar wilde van zijn beloningen kon afzien om de groene mantel aan te trekken.

Toen de top van een lange heuvel voor hen opdoemde hield Tarik zijn paard in, en de anderen volgden zijn voorbeeld. Boven hen slaakte Essix een kreet, waarna ze naar beneden suisde om op Rollans schouder te gaan zitten. Meilin droeg Jhi op haar hand, de otter van Tarik lag opgekruld achter op zijn zadel en Briggan sprong onvermoeibaar naast Conor mee.

Vanaf de heuvel keek Rollan met de anderen omlaag naar een boerendorp. Het was niet veel meer dan wat slordige rijen huizen van klei met een paar onverharde weggetjes er kriskras doorheen. Mensen liepen rond met karren, paarden en hier en daar een hond: een en al bedrijvigheid, maar het was niets vergeleken met wat Rollan in Concorba gewend was. Hij vond de huizen niet erg groot en een aantal zag er nogal bouwvallig uit. De lage muur rond het gehucht bestond uit op elkaar gestapelde stenen, wat Rollan echt te triest voor woorden vond.

'Onze eerste bestemming,' kondigde Tarik aan. 'Rotsenstad.'

'"Kiezeldorp" komt meer in de buurt,' hoonde Rollan.

'Eigenlijk heet het Sanabajari,' vervolgde Tarik. 'Maar mensen van buiten geven de voorkeur aan de bijnaam. Hier in het westen van Amaya zijn de steden klein. Er zijn niet veel mensen die de gevaren buiten de bewoonde gebieden van ons continent durven te trotseren. Dit zijn geharde lui: ik zou ze maar niet te spottend behandelen als ik jullie was.'

'Ik snap wel waarom Amaya ook wel het Nieuwe Land genoemd wordt,' zei Meilin. 'In Zhong heb je niet van dit soort... onbeschaafde gebieden.'

'Zhong staat bekend als het Ommuurde Land,' zei Tarik. 'Het gebied binnen de Muur is zeer ontwikkeld en goed onderhouden. Maar ik heb uithoeken van het continent buiten de Muur gezien in vergelijking waarmee Rotsenstad een toonbeeld van beschaving is.'

'En hier kunnen we dus die grizzly en de wasbeer vinden?' vroeg Conor.

'Als Lenori en Olvan het visioen goed geïnterpreteerd hebben wel,' antwoordde Tarik. 'Barlow en Monte woonden ooit als Groenmantels in Schemerslot, maar ze hebben hun eed gebroken om de wereld te verkennen. De afgelopen vijftien jaar hebben ze rondgezworven in de wildernis van West-Amaya. Ik denk niet dat er mensen zijn die dit werelddeel beter kennen dan zij. Ik heb ze zelf nooit ontmoet, maar ze staan bekend als echte avonturiers. Barlow heeft een grizzly als totemdier en Monte een wasbeer. Misschien zijn zij Arax tegengekomen tijdens een van hun tochten. Dat hopen we in elk geval.'

'Hoe weten we dat ze hier zijn?' vroeg Rollan.

'Dat weten we niet,' gaf Tarik toe. 'Groenmantels proberen elkaar zo veel mogelijk in het oog te houden, ook als ze de organisatie officieel verlaten hebben. De laatste keer dat we iets van ze hoorden, hadden Barlow en Monte hier in Rotsenstad een handelspost opgezet. Als ze hier niet zijn, kunnen de bewoners ons vast wel verder helpen.'

Ze draafden de helling af en reden door een opening in de lage stenen muur het stadje in. Rollan zag dat de mensen op straat en in deuropeningen kille blikken op de groep wierpen en naar de groene mantels van de anderen staarden. Ze kwamen vrijwel alleen maar mannen tegen. De meesten zagen er gehard en verweerd uit, met haveloze kleren en ruige baarden.

Tarik hield halt voor het grootste gebouw van het dorp, een groezelig wit pand met één verdieping en geelbruine dakpannen. Rond het huis liep een overdekte houten vlonder en een fors bord meldde dat dit de handelspost was.

In een flits veranderde Tariks otter in een tekening op zijn arm. 'Stuur je valk de lucht in,' zei Tarik tegen Rollan. 'Conor, laat Briggan buiten.'

'Essix, ga maar naar...' begon Rollan, maar voor hij zijn zin kon afmaken was zijn valk al opgevlogen.

'Wil jij op de paarden passen, Briggan?' vroeg Conor.

De wolf snuffelde even aan het paard van Conor en ging toen een eindje verderop op de grond zitten.

'Kunnen we problemen verwachten?' vroeg Rollan. Hij droeg een mes op zijn heup. Als straatjongen had hij altijd wel een klein steekwapen bij zich gedragen, maar de Groenmantels hadden hem het mooiste mes gegeven dat hij ooit had gehad. Het wapen aan zijn riem was een echte dolk, mooi gemaakt en heel scherp; het was bijna een kort zwaard. In zijn laars had hij nog een kleiner mes verstopt.

'Misschien wel,' zei Tarik. 'Voormalige Groenmantels kunnen nog wel eens wat wraakzuchtig zijn.'

'Interessant,' mompelde Rollan.

'Moeten we onze mantel afdoen?' vroeg Conor.

'Nooit uit schaamte of om iets voor elkaar te krijgen,' zei Tarik. 'Dan is het einde zoek. We moeten trots zijn op wie we zijn en waar we voor staan.'

Maar waar staan jullie nou eigenlijk voor? vroeg Rollan zich af. Hij keek naar een paar norse mannen die met samengeknepen ogen in een grote boog om de Groenmantels heen liepen. Een oudere man met een zwaarbepakt muildier bleef met een vuist in zijn zij naar hen staan kijken. Aan de overkant van de straat verschenen aarzelende gezichten achter de ruiten.

'Iedereen kijkt naar ons,' mompelde Conor.

'We zullen ze eens een mooi schouwspel bieden,' zei Tarik terwijl hij vooropging naar de handelspost. Zijn zwaard hing schuin over zijn rug. Meilin had haar vechtstok meegenomen. Het viel Rollan op dat Conor zijn bijl aan zijn zadel liet hangen.

Toen ze naar binnen liepen kwam alles met een schok tot stilstand in de handelspost. Mensen die aan de bar zaten te eten verstijfden midden in een hap en in de winkel werden alle verkopen onderbroken. In de stilte die volgde zag Rollan dat er een heleboel dierenhuiden werden aangeboden, naast allerlei kampeerspullen en eindeloze rijen bijlen, zwaarden en andere wapens.

Tarik liep naar de toonbank van de winkel. Een aantal grote mannen ging voor hem aan de kant – sommigen keken achterdochtig, anderen ronduit vijandig. Achter de toonbank nam een kalende man de nieuwkomers met een geslepen blik op.

'Groenmantels?' gromde hij meesmuilend. 'Zijn jullie hier voor zaken of alleen op doorreis?'

'Ik ben op zoek naar twee oud-collega's. Barlow en Monte,' antwoordde Tarik.

De man achter de toonbank keek even verbluft, maar toen knikte hij. 'Lang geleden dat die twee voor het laatst groen hebben gedragen. Ik heb ze al een tijd niet gezien.'

'Is dat zo?' vroeg Tarik. 'Is deze handelspost nog steeds van hen?'

'Jep,' antwoordde de man. 'Loopt heel goed, dus ze hoeven zich niet met de dagelijkse sores bezig te houden.'

Rollan hoorde geschrokken kreten achter zich. Hij draaide zich om en zag dat Essix door de open deur naar binnen scheerde. De valk landde op zijn schouder. Met een ongemakkelijke glimlach aaide hij de valk met één knokkel en probeerde net te doen alsof hij haar had verwacht. Zoals gewoonlijk moest Essix per se laten zien dat zij deed waar ze zin in had en wanneer ze daar zin in had, ook al was haar iets anders gezegd. Tarik en de man achter de toonbank staarden hem aan. Rollan maakte een handgebaar. 'Praat vooral verder. Let maar niet op ons.'

Tarik draaide zich weer om naar de winkelier. 'Hoe lang zou ik hier moeten wachten tot ze terugkomen?'

De man legde zijn handen in elkaar gevouwen op de toonbank. 'Ze hebben overal huizen. Ze vertellen mij niet waar ze heen gaan en ik vraag er ook niet naar. Afhankelijk van het seizoen zijn ze soms wel maandenlang de hort op.'

'Hij liegt,' flapte Rollan eruit, al had hij daar meteen spijt van. Maar het was gewoon overduidelijk. Met Essix op zijn schouder was hij veel opmerkzamer en leek hij alles in de gaten te hebben.

Hij zag het aan de manier waarop de winkelier op de verkeerde momenten met zijn tong langs zijn lippen gleed of wegkeek.

'Dat denk ik ook,' zei Tarik kalm.

'Liegen? H-hoe bedoel je?' sputterde de man.

Rollan voelde dat de mannen achter hem in beweging kwamen.

'Wie is die knul?' mompelde een van de grootste mannen tegen zijn buurman. 'Hij heeft een giervalk als totemdier.'

'Je bazen hebben niets verkeerds gedaan,' zei Tarik.

De man achter de toonbank leek moed te putten uit het geroezemoes. 'Een hele geruststelling, vreemdeling. Hoor eens, ik weet niet waar jullie vandaan komen, maar hier hebben we het niet zo op Groenmantels die hun neus in onze zaken komen steken.'

Een paar mannen om hen heen mompelden instemmend.

'... laat die man met rust...'

'... niet de hele dag de tijd...'

'... ga toch Nectar drinken, joh...'

Tarik deed een stap opzij. Hij praatte net hard genoeg om gehoord te worden. 'Ik ben hier op bevel van Schemerslot. Als iemand daar bezwaar tegen heeft, mag hij dat nu tegen me komen zeggen.'

Het viel Rollan op dat Tarik zijn zwaard op zijn rug liet hangen. Hij maakte geen dreigende gebaren. Maar hij was een lange man met een ernstig gezicht en hij klonk bloedserieus. De mannen die boos gebromd hadden keken nu gauw de andere kant op.

Tarik draaide zich half om naar de toonbank. 'Ik wilde dit discreet afhandelen, maar dat gaat blijkbaar niet. Ik wil Monte en Barlow spreken over belangrijke zaken, op bevel van de leiding. Je helpt ze niet door zo moeilijk te doen. Als het moet, roep ik versterking op. Ze komen hier niet onderuit.'

Op deze mededeling volgde opnieuw een luid gemompel. De

man achter de toonbank dook weg, alsof hij iets van de grond wilde pakken.

Rollan hoorde zachte voetstappen. 'Hij gaat ervandoor!'

Tarik boog zich naar voren om over de brede toonbank te kijken. De winkelier bleek onverwacht snel en kwam aan de andere kant tevoorschijn. Hij sprong soepel over de toonbank en trok een raam open.

Rollan zette onmiddellijk de achtervolging in. Tarik begon ook te rennen, maar een paar grote klanten versperden hem de weg. Lumeo kwam in een flits tevoorschijn en Tarik deelde een paar klappen uit.

Essix vloog voor Rollan uit het raam door. Toen hij buiten was zag hij de verkoper nog net om de handelspost heen rennen. Rollan sprong op de grond en holde achter hem aan. De winkelier stond bij de achterkant van het gebouw op een ton en probeerde naar een balkon op de bovenverdieping te springen, maar voor hij zichzelf omhoog kon trekken dook Essix met uitgestoken klauwen op hem af en schampte zijn arm. De man viel op de grond.

Rollan rende op hem af. De man krabbelde overeind en wilde naar de andere kant van het huis vluchten, maar bleef staan toen Briggan daar de hoek omkwam. Bij het zien van de wolf stak de winkelier zijn handen omhoog. 'Goed dan! Ik geef me over. Niet bijten.'

Conor kwam achter Briggan de hoek om, net op het moment dat Rollan bij de winkelier was. 'Waarom ging je ervandoor?' vroeg Rollan boos.

Briggan kwam snuffelend dichterbij en de man kromp in elkaar. 'Ik heb mijn buik vol van die Groenmantels,' antwoordde hij. 'Hoor eens, ik heb het niet zo op wolven. Vooral niet als ze me op willen eten. Kun je die van jou even bij je houden?'

Briggan gromde niet, maar hij stond heel dicht bij de man met zijn nekharen overeind.

'Ho ho,' zei Rollan afhoudend. 'Wie ben jij?'
De man zuchtte gelaten. 'Ik geloof dat ik vergeten ben me voor te stellen. Monte is de naam.'

Barlow en Monte

Conor treuzelde een beetje toen Monte de groep door een achterkamertje naar een trap bracht. Wat een idee dat de winkelier een van de twee mannen was naar wie ze op zoek waren! Hij had Tarik flink bij de neus genomen.

Meilin en Tarik waren vlak na Conor en Rollan ook naar de achterkant van de winkel gekomen. Tarik had een blauw oog en een snee naast zijn mond. Toen Conor ernaar vroeg, had Meilin hem stilletjes verzekerd dat Tarik zelf nog veel meer mannen had toegetakeld.

Monte had onder dwang beloofd hen via een achterdeur naar Barlow te brengen. Hij had ze gewaarschuwd dat zijn partner hoogstwaarschijnlijk niet op hen zat te wachten, maar Tarik bezwoer hem dat het niet anders kon.

Terwijl Monte de groep met tegenzin door een gang op de bovenverdieping van het gebouw leidde, zag Conor achter hem iets bewegen, heel dicht bij de grond. Toen de anderen een hoek omgingen bleef hij staan. Even later gluurde er een wollig zwartwit kopje om de hoek, dat zich onmiddellijk weer terugtrok.

'Kom maar,' zei Conor vriendelijk.

Toen de wasbeer niet reageerde keek Conor de hoek om, maar hij zag het dier nergens meer. Dat beestje was razendsnel.

Hij had de anderen net weer ingehaald toen Monte op een zware deur klopte. Er werd opengedaan door een gespierde man met heel brede schouders en een dichte baard die haast tot zijn ogen kwam. Hij was bijna een halve kop groter dan Tarik, en Conor kon zich niet herinneren dat hij ooit iemand had gezien die zoveel op een beer leek.

De enorme man keek Monte boos aan. 'Groenmantels! Voor mijn deur? Wat maak je me nou?'

'Ze... eh... ze waren erg vasthoudend,' legde Monte uit.

'Dat zal best,' zei de grote man terwijl hij de bezoekers bekeek. Zijn blik bleef steken bij Conor. 'Ik zie dat sommigen hier al... wat zal het zijn, een week ervaring hebben?'

Conor rechtte zijn rug en probeerde er ouder uit te zien dan hij zich voelde.

Monte grinnikte zenuwachtig. 'Ze willen iets met ons bespreken.'

Barlow keek Tarik aan. 'Wat moet je? Je kunt mensen niet zomaar in het rond commanderen. We hebben niets verkeerds gedaan.'

'We zijn op zoek naar Arax,' zei Tarik.

Barlow begon zo bulderend te lachen dat Conor een sprongetje van schrik maakte.

'Arax?' riep Monte uit. 'Waar heb je het over? Is dit een grap?'

Barlows luide lach verstomde, maar zijn schouders bleven schokken. Hij veegde een traan uit zijn ooghoek.

'Het is geen grap,' zei Tarik. 'De Verslinder is terug en hij zit achter de talismans aan. Wij moeten ervoor zorgen dat we als eerste bij Arax zijn.'

Barlow ging met een ruk rechtop staan en haalde beverig adem. 'De Verslinder? Wat is dit voor onzin?'

'Hij is terug,' zei Tarik. 'Zoals hij heeft beloofd. Het is in elk geval iemand die heel veel op hem lijkt. Zhong is aangevallen. Ze zijn door de Muur gebroken. Het zuiden van Nilo is ook in oorlog.'

'Kostelijk!' zei Monte. 'Dit moeten meer mensen horen. Sommige leugens zijn te groot om te slikken, vooral op een volle maag.'

'Ik heb met eigen ogen gezien dat Zhong werd aangevallen,' zei Meilin. 'Een enorme horde soldaten heeft Jano Rion ingenomen. Mijn vader is achtergebleven om de stad te verdedigen.'

Met een grimmige blik keek Barlow haar aan. 'Ben je hier zonder je vader? Laat me raden, de Groenmantels hebben je meegenomen.'

Ze knikte.

'Wanneer leren jullie nou eens dat jullie die kinderen met rust moeten laten?' vroeg Barlow. 'Wie heeft besloten dat ze als volwassenen aangekleed en bewapend moeten worden? Wie houdt die traditie in stand?'

'Dat is een van zijn stokpaardjes,' zei Monte met een grimas. 'Niet op ingaan, dan wordt het bonje. Hoor eens, we vinden het heel vervelend dat er elders in de wereld wordt gevochten, maar we hebben geen idee waar we Arax of de andere Koningsdieren zouden kunnen vinden. Zullen we dit dan maar als afgehandeld beschouwen?'

'Jullie spelen het best goed,' zei Rollan. 'Maar die lach was een beetje te veel van het goede, Barlow. En jij legde aan het eind te veel uit, Monte.'

Barlow keek hem ernstig aan. 'Wat moet jij met die giervalk?'

'Drie keer raden,' zei Rollan uitgestreken.

In een flits kwam de panda van Meilin tevoorschijn en Essix vloog krijsend op van Rollans schouder.

'Gaan we opscheppen?' vroeg Barlow terwijl hij zijn handen tot vuisten balde. 'Mijn beer is groter.'

'Het is niet als dreigement bedoeld,' legde Tarik rustig uit. 'Denk eens na.'

'Dat is een panda,' zei Monte, en de grijns verdween van zijn gezicht. 'Een panda met zilverkleurige ogen.' Hij keek argwanend naar Essix en toen naar zijn partner.

'Ha ha, ik vat 'm,' zei Barlow korzelig. 'Wat een slechte grap. Waar slaat dit op? Wie zijn jullie?'

'Ik heb Briggan buiten gelaten,' zei Conor toen hij besefte dat de dieren nogal indruk op de twee avonturiers hadden gemaakt.

'Maar met zijn hulp heb ik een visioen gehad. Ik zag een beer en een wasbeer die ons naar Arax brachten. Olvan en Lenori dachten dat jullie daarmee bedoeld werden.'

'Ze hebben de ram gezien,' zei Rollan. 'Ik voel het.'

Barlow fronste zijn wenkbrauwen, maar keek al iets minder onvriendelijk. 'Ik wil die wolf wel eens zien.'

'Je denkt toch niet dat dit...' begon Monte.

Barlow stak zijn hand op. 'Ga Briggan halen.'

Toen Conor terug was, nam Barlow de tijd om Briggan, Jhi en Essix uitgebreid te bekijken. Monte bestudeerde de drie dieren ook, maar hij kwam niet te dicht bij Briggan in de buurt.

'Als dit een truc is,' verklaarde Barlow uiteindelijk, 'dan is het heel goed gedaan.' De grote man liet zijn handen met onwillige verwondering over Briggans vacht glijden.

'Weet je zeker dat jij Uraza niet ergens verstopt hebt?' vroeg Monte aan Tarik.

'Ik heb je mijn tatoeage laten zien,' zei Tarik. 'Mijn totemdier is een otter. We hebben het meisje dat de luipaard heeft opgeroepen niet gevonden. De vijand was eerder bij haar.'

Conor zag dat de wasbeer van Monte aarzelend naar Briggan toe kwam en weer terugdeinsde toen de wolf aan hem snuffelde.

Barlow ging op zijn hurken zitten. 'Bedoel je soms dat het grote gevecht is begonnen?'

Tarik boog zijn hoofd. 'De Gevallen Beesten zijn herrezen, de Verslinder is terug en zint op wraak – alles waar de Groenmantels al honderden jaren bang voor zijn.'

Monte huiverde. 'Ik had gehoopt dat ik tegen die tijd allang onder de groene zoden zou liggen. Ergens had ik niet gedacht dat het ooit nog zou gebeuren, maar tegen drie van de Vier Gevallenen valt weinig in te brengen.'

'We moeten snel zijn,' zei Tarik. 'We moeten de talismans verzamelen. Onze vijanden willen hetzelfde als wij.'

Barlow snoof. 'Je hebt niet alleen je vijanden tegen je. Denk je nou echt dat Arax zijn Granieten Ram zomaar zal afstaan? Dat heeft hij in de vorige oorlog ook niet gedaan. Die krijg je echt niet zomaar te pakken, hoor. Dan ken je hem en de bergen nog niet.'

'Maar jij kent ze wel,' zei Rollan.

'Jaja, het is me al duidelijk,' snauwde Monte. 'Jij voelt dingen aan. Je hebt ons door. Essix werd niet voor niets de Verderkijker genoemd.'

Conor had dat woord nog nooit gehoord. Zijn blik kruiste die van Rollan en geluidloos vroeg hij: 'Verderkijker?'

Rollan haalde met een verbouwereerd, chagrijnig gezicht zijn schouders op. Conor begreep zijn boosheid wel. Welke informatie over hun totemdieren hielden de Groenmantels nog meer voor hen achter? Waarom hadden ze hun niet alles verteld?

'Dus jullie hebben Arax gezien?' vroeg Tarik.

Barlow ademde langzaam uit. 'We hebben de afgelopen jaren vrijwel heel westelijk Amaya verkend. Het is onvoorstelbaar prachtig op sommige plaatsen. En spuuglelijk op andere. Toen we een keer hoog in de bergen waren, liet Schrobber ons een paar opvallende sporen zien.'

'Schrobber?' vroeg Conor.

'Mijn wasbeer,' legde Monte uit.

'Ze leken op de sporen van een dikhoornschaap,' zei Barlow. 'Maar de afmetingen klopten niet. Ze waren veel te groot.' Hij hield zijn handen uit elkaar alsof hij een bord vasthield. 'We hebben de sporen een tijdje gevolgd. Het klinkt misschien gek, maar ze zagen er niet nep uit. We waren in een hoog, verlaten gebied. Als ze niet echt waren, was het heel goed gedaan. We wisten dat dit misschien wel onze enige kans was, en daarom zijn we op onderzoek uitgegaan.'

‘Het was ongelooflijk,’ zei Monte. ‘We hadden werkelijk waar nog nooit zoiets gezien tijdens onze tochten door de wildernis.’

‘Daar sluit ik me bij aan,’ zei Barlow.

‘Hebben jullie contact met hem gehad?’ vroeg Tarik.

Barlow grinnikte. ‘We vonden hem van een afstandje al intimiderend genoeg. Hij wist dat we er waren. Hij liet de wind opsteken om ons te laten weten wie er de baas was. Toen we ons terugtrokken liet hij ons gaan.’

‘Hij liet de wind opsteken?’ vroeg Meilin.

‘Arax kan het weer in de bergen beïnvloeden,’ zei Monte. ‘En dan met name de wind.’

‘Hebben jullie echt een Koningsdier gezien?’ vroeg Conor, en zijn gezicht gloeide van ontzag.

Briggan stootte met zijn kop tegen zijn been.

Conor aaide zijn wolf. ‘Een op ware grootte, bedoelde ik.’

Briggan gaf hem opnieuw een kopstoot. Conor wist dat hij iets verkeerds had gezegd en hoopte dat Briggan het hem niet heel lang kwalijk zou nemen.

Monte keek even naar Briggan en toen naar de rest van de groep. ‘Jullie zijn met legendes op stap, jongens.’

Barlow wierp een blik op Tarik. ‘Die bergtoppen zijn niet geschikt voor kinderen. Ze zijn niet eens geschikt voor ervaren bergbeklimmers. Wacht nog een paar jaar. Laat die kinderen volwassen worden, ervaring opdoen. Met die totemdieren worden ze onverslaanbaar.’

Conor merkte dat hij zwol van trots door die lovende woorden. Hij onderdrukte een fier glimlachje.

‘Goed advies,’ zei Tarik. ‘Maar daar is geen tijd voor. We zullen het erop moeten wagen. Het zou al helpen als er een paar goede gidsen meegingen.’

Barlow snoof geërgerd. ‘Ik snap wat jullie willen, maar in mijn ogen hebben de Groenmantels de jeugd altijd te veel uitgebuit. We worden als kind overgehaald om ons ergens bij aan te sluiten voor we onszelf echt goed hebben leren kennen. Op mijn elfde dacht ik dat ik er klaar voor was, en ik heb het overleefd, maar ik heb ook jonkies gezien die het níét overleefd hebben. De Groenmantels zijn veel te snel bereid om offers te brengen.'

'We bevinden ons in een onmogelijke situatie,' zei Tarik. 'Zonder de Koningsdieren krijgen we die talismans niet te pakken. Als de Verslinder ze vindt, is het gedaan met Erdas.'

'Ja, maar...' Barlow slaakte een zucht. Hij richtte zijn blik op Conor, Meilin en Rollan. 'Jullie zijn nog te jong om dit te begrijpen. Jullie kunnen je niet voorstellen wie je tegenover je hebt. Dit gaat zelfs mij en Monte boven onze macht. Ik vermoed dat Tarik heel wat heeft meegemaakt in zijn leven, maar het gaat ook hem boven zijn macht. We hebben het over een van de vijftien Koningsdieren. Ouder dan mensenheugenis. Sterk genoeg om deze stad in een oogwenk te verwoesten. Even comfortabel op een steile rotswand als jullie in je bed. Slimmer en listiger dan wij ons kunnen voorstellen.'

Briggan stapte naar voren en ging met gespitste oren en zijn kop omhoog voor Barlow staan.

Conor werd overspoeld door zelfvertrouwen en ging naast zijn wolf staan. 'U vergeet wie er met ons meegaan. Het is drie tegen één.'

Essix spreidde haar vleugels en klapte er twee keer mee.

'Jullie hebben waardevolle metgezellen,' erkende Barlow. 'Maar ze zijn niet meer wie ze ooit waren. Net als jullie hebben ook zij tijd nodig om te groeien. Als je Arax ziet, zul je begrijpen wat ik bedoel.'

'Of jullie nu meegaan of niet, wij gaan sowieso op zoek naar Arax,' zei Tarik. 'Zonder jullie wordt het een stuk lastiger, maar we gaan het toch proberen. Conor heeft jullie niet voor niets in zijn visioen gezien.'

Essix vloog op en landde op Barlows schouder. Jhi ging verrassend elegant op haar achterpoten zitten. Briggan kwam nog dichterbij, hapte in de broekspijp van Barlow en trok eraan.

Barlow zuchtte en liet zijn schouders hangen. Langzaam, met zijn ogen op de dieren gericht, zei hij: 'Ik heb altijd geweten dat die groene mantel me nog eens te pakken zou krijgen. Ik heb jaren doorgebracht op plekken waar nog nooit een mens is geweest, maar diep in mijn hart wist ik dat die mantel me vroeg of laat zou vinden.'

Monte keek zijn vriend aan. 'Dus dat gaat het worden?'

'Ik ben bang van wel,' zei Barlow. 'Laten we onze spullen maar eens uit de opslag gaan vissen.'

Raven

Meilin had in haar jeugd bijna heel Zhong gezien. Ze was in het noorden, oosten, westen en zuiden bij de Muur geweest en op ontelbare plekken daartussenin. De Muur was duizenden kilometers lang en omsloot oneindig veel land. Maar ze was nooit voorbij de Muur gereisd. Ze had nog nooit onontgonnen terrein verkend.

De afgelopen weken was het landschap tijdens hun tocht met Monte en Barlow steeds indrukwekkender geworden. Wat begon als een prairie maakte langzaam plaats voor heuvels en steile hellingen, om ten slotte uit te barsten in imposante bergen. Scherpe rotsen klauwden naar de hemel en donderende watervallen vielen in diepe kloven. De lagergelegen gebieden waren begroeid met dichte bossen en in de verte zag Meilin meren glinsteren onder de besneeuwde bergtoppen. De schoonheid van Zhong zat 'm vooral in de binnen de Muur aangebrachte orde in de natuur. Meilin had prachtige staaltjes architectuur bezichtigd: tempels, musea, paleizen, steden... Ze had groots aangelegde parken en tuinen bezocht. Ze wist dat je water via kanaaltjes naar de akkers kon leiden om ze te irrigeren, of juist achter ingenieuze dammen kon bewaren. Ze had over brede wegen en schitterende bruggen gereisd.

Maar dit land was op een andere manier mooi. De woeste, eigenzinnige, ongerepte natuur overtrof alles wat ze ooit in Zhong had aanschouwd. Welk gebouw kon op tegen deze bergen? Welk kanaal kon zich meten met deze weerbarstige rivieren en watervallen?

Meilin hield haar verwondering voor zich. Ze voelde zich nog niet echt op haar gemak bij haar reisgenoten en ze was bovendien bang dat het net zou lijken alsof ze haar eigen land minderwaardig vond als ze de wildernis hier zou ophemelen.

Ondanks het prachtige uitzicht voelde de tocht lang en eenzaam. Normaal gesproken reisde ze een stuk gerieflijker en ze miste haar familie en bedienden om zich heen. Ze had geen zin om met haar reisgenoten in gesprek te gaan om ze beter te leren kennen, maar gaf haar ogen goed de kost. Van alle mensen in de groep bewonderde ze Tarik het meest. Hij zei alleen iets als het nodig was en straalde een bepaalde betrouwbaarheid uit die Meilin aan de beste soldaten van haar vader deed denken.

Monte zei juist heel veel als het niet nodig was. Hij zat vol grappen, verhalen en prietpraat en kletste iedereen de oren van het hoofd. Barlow leek het niet erg te vinden: hij ging juist expres naast zijn vriend rijden en grinnikte om Montes eindeloze gezwets en anekdotes.

Conor bracht veel tijd met Briggan door. Het ging verder dan alleen praten en aaien: hij leek niet bang om zichzelf voor schut te zetten of zijn totemdier te beledigen door met hem te ravotten. Hij gooide stokken weg die de wolf dan ophaalde en ze speelden tikkertje. Ze zwommen zelfs samen in de beekjes. Meilin moest toegeven dat de wolf en de jongen op deze manier heel dicht naar elkaar toe leken te groeien. De band tussen Rollan en zijn valk was veel minder hecht, en Essix bleef het grootste deel van de tijd in de lucht.

Meilin had geprobeerd om meer contact met Jhi te krijgen. Nadat Jhi haar had gered was Meilin heel dankbaar geweest, maar algauw vielen ze weer terug in het oude patroon. Jhi was gewoon zo ontzettend volgzaam. De panda vond het fijn om in haar eentje rustig een beetje te spelen, maar als Meilin een simpel spelletje probeerde of Jhi iets wilde laten apporteren toonde de beer weinig interesse. Jhi luisterde als Meilin iets zei, maar reageerde nauwelijks. Het was duidelijk dat Jhi onderweg het liefst in rusttoestand was, dus daar hield Meilin haar dan ook maar.

Tijdens de reis met Monte en Barlow had ze nog maar één keer geslaapwandeld. Meilin was in haar eentje wakker geworden in het donkere bos. Voordat ze echt in paniek kon raken had Jhi haar gevonden en teruggebracht naar de anderen. De wandeling had meer dan twintig minuten geduurd.

Dat was een paar dagen geleden. Monte beweerde dat ze al bij Arax in de buurt waren, maar ze hadden nog geen enkel spoor van de ram gezien. Vanochtend waren ze een breed dal overgestoken en nu voerde het pad langs een beboste helling met weinig struiken. Barlow en Monte reden voorop. Daarachter kwam Meilin, voor de jongens. Tarik vormde de achterhoede.

Zoals gewoonlijk zat Monte tegen Barlow te tetteren. 'Weet je nog, dat bos op de noordhelling van de Grijze Bergen? Dat leek een beetje op dit bos: zo veel ruimte tussen de bomen dat je er haast doorheen zou kunnen galopperen. En toen kwamen we langs die verlaten buitenpost.'

'Bíjna verlaten buitenpost,' verbeterde Barlow hem.

Monte wees naar hem. 'Inderdaad! Die kerel woonde daar helemaal in zijn uppie. Hoeveel varkens had hij ook al weer? Misschien wel honderd! Hij at gebakken spek bij het ontbijt, hamlapjes bij de lunch en karbonade bij het avondeten. En hij wilde er voor geen goud eentje ruilen! Echt een zwijnenstreek om zijn kont zo tegen de krib te gooien. Wat een ongelikte beer. Ik vraag me af of hij nog steeds...'

Op dat moment slaakte Essix een waarschuwende kreet. Barlow hield de teugels in en stak zijn hand op. Monte ging rechtop in zijn zadel zitten en keek om zich heen.

Met luide stem zei Barlow: 'Wij zijn vreedzame reizigers! We zijn op weg naar de bergen.'

Opeens zag Meilin overal om hen heen mannen tussen de

bomen opdoemen. Het ene moment was er nog niemand te zien geweest, en het volgende moment waren ze omringd door tientallen krijgers. Ze waren gewapend met speren en bogen en slopen samen behoedzaam naar voren, alsof ze een gevaarlijke prooi benaderden. Ze droegen leren lendendoeken en capes van zwarte veren. Sommigen hadden hun gezicht zwart-wit geschilderd. Een paar mannen droegen houten maskers.

Meilins hart begon te bonken en ze kneep hard in de teugels. Hoe hadden deze krijgers hen zo snel weten te omsingelen? Ze probeerde rustig te blijven en zei tegen zichzelf dat winnen een kwestie van wilskracht was. De Amayanen stonden er veel beter voor. Meilin gokte dat er zo'n zeventig krijgers waren, misschien nog wel meer die ze niet kon zien, en ze kwamen steeds dichterbij. Ze hadden geen paarden, maar veel mannen hadden hun boog al gespannen. Zelfs als de groep van Meilin door hen heen probeerde te rijden, zouden ze er niet zonder kleerscheuren vanaf komen.

Drie krijgers maakten zich los van de groep en liepen op Barlow af. De man in het midden drukte zijn vuist tegen zijn borst. 'Ik ben Derawat.'

Barlow maakte hetzelfde gebaar. 'Barlow.'

'Dit land valt onder het domein van de Raven. Jullie mogen hier niet komen.'

'We willen hier niet blijven,' antwoordde Barlow. 'We gaan zo snel mogelijk verder en zullen niets meenemen. We zijn op weg naar de bergen.'

'We zagen jullie al van ver aankomen.'

Barlow knikte. 'We verstoppen ons niet. We hebben geen kwade bedoelingen.'

'Jullie moeten met ons mee zodat we jullie kunnen berechten,' zei Derawat.

Plotseling verscheen er een enorme grizzlybeer naast Barlow, een groot, ruigharig beest met een bult tussen zijn schouders.

De Raven deden een paar passen achteruit en grepen hun wapens vast. De beer ging op zijn achterpoten staan en richtte zich hoog op. Het was een indrukwekkend gezicht en Meilin voelde een steek van jaloezie toen ze dit dier met Jhi vergeleek.

'We geven ons niet over,' zei Barlow stellig. 'We mogen gaan en staan waar we willen en zijn enkel op doorreis. We hebben jullie niet lastiggevallen. Als jullie per se moeilijk willen doen, mogen jullie ons berechten door te vechten.'

De drie leiders van de Amayaanse stam overlegden met elkaar. Derawat meldde de uitkomst. 'Jullie kiezen je beste strijder en wij ook. Jullie vechten volgens onze regels. Als jullie winnen, mogen jullie verder. Als jullie verliezen, zijn jullie van ons.'

'Afgesproken,' zei Barlow. Een lichtflits, en zijn grizzly was weer verdwenen.

Een groep Raven liep met hen mee om hen te bewaken. Tarik reed naar voren om met Barlow te overleggen.

'Wat gaat er nu gebeuren?' vroeg Tarik.

'Als we verliezen, zijn we van hen. Dan kunnen ze ons tot slaaf maken of ons vermoorden, net wat ze willen.'

Dat liet iedereen zwijgend even tot zich doordringen.

'En wat houdt dat gevecht in?' vroeg Tarik.

'Hangt van de stam af,' antwoordde Barlow met een blik op de Amayaanse krijgers. 'Sommige stammen geven de voorkeur aan een gevecht van man tot man. Andere willen dat de totemdieren vechten. Sommige vechten tot de dood erop volgt, andere tot een van de twee opgeeft. Ik heb nog nooit eerder met de Raven te maken gehad.'

'Botte pech,' gromde Monte. 'De meeste Amayaanse stammen zijn vreedzaam en rechtvaardig, sommige zelfs ronduit gul. We hadden de route zo uitgestippeld dat we de gevaarlijkste stammen zouden mijden en alleen langs de rand van het Ravenland zouden komen. Ze moeten ons gezien hebben toen we door het dal gingen.'

'Heeft iemand er bezwaar tegen als ik het gevecht afhandel?' vroeg Tarik.

'We kunnen beter nog even wachten voor we iemand kiezen,' merkte Barlow op. 'Soms stellen ze rare voorwaarden of gebruiken ze vreemde wapens. Als het op kracht aankomt ben ik een goede tegenstander. En in een rechtstreeks gevecht tussen twee totemdieren is Jools praktisch onverslaanbaar.'

'Goed,' zei Tarik met een knikje. 'Dan wachten we nog even.'

De Amayanen brachten hen naar een dorp in een weiland vlakbij. De hutten waren gemaakt van huiden die over een houten raamwerk waren gespannen. Meilin zag meerdere vuurplaatsen, maar geen vlammen of rook. De stamleden leidden de ruiters naar een open plek midden in het dorp.

Derawat gebaarde naar een cirkel van zand. Hij liep naar een vat dat net buiten de cirkel stond en doopte zijn knokkels in een soort zwarte modder. 'Twee strijders nemen het tegen elkaar op in deze cirkel. Totemdieren moeten in rusttoestand zijn. De eerste die tien klappen uitdeelt, wint. Hard of zacht – na tien slagen is de wedstrijd afgelopen. Ik vecht voor de Raven. Wie wordt jullie strijder?'

Met grote ogen keek Meilin toe hoe Barlow, Monte en Tarik zich naar elkaar toe bogen om te overleggen. Zou ze zich ermee bemoeien? Derawat zag er pezig en behendig uit, zeer geschikt voor het soort gevecht dat hij net had beschreven.

'Dit draait om snelheid en nauwkeurigheid,' zei Barlow. 'Niet mijn sterkste punten.'

'Ik denk dat ik het wel kan,' zei Monte.

'Laat mij maar,' zei Tarik. 'Lumeo kan me niet helpen, maar ik heb vaker van man tot man gevochten, ook met scherpe wapens, dus ik ben gewend om klappen te ontwijken. En ik kan snel uithalen.'

'Ik vind het prima,' zei Barlow.

'Ik wil het doen,' verkondigde Meilin.

De drie mannen keken zo verbluft dat Meilin haar best deed om het niet als een belediging op te vatten. Ze hadden nog nooit gezien wat ze kon.

'Het is een erg sterke tegenstander,' begon Tarik beleefd.

'Ik zou het niet aanbieden als ik niet de ideale persoon voor dit gevecht was,' zei Meilin. 'Ik ben mijn hele leven getraind in de Zhongese vechtkunst. Het is mijn specialiteit. Als een van jullie het probeert is de kans dat het goed afloopt veel kleiner.'

Haar reisgenoten wierpen elkaar ongemakkelijke blikken toe. Tarik sloeg zijn armen over elkaar en keek haar met samengeknepen ogen aan.

'Ik wacht op een antwoord,' zei Derawat.

'Eén moment nog,' antwoordde Barlow. Hij draaide zich weer om naar de anderen en zei: 'Geen sprake van. Ze is te jong.'

'Dan kan ik het nog beter doen!' bemoeide Rollan zich ermee. 'Ik heb tenminste al vaker gevochten.'

'Meilin,' zei Tarik vriendelijk, 'misschien heb je wel gelijk, maar we hebben nog nooit gezien wat je in je mars hebt.'

'Ik kan het voordoen, maar dan is het verrassingselement weg,' zei Meilin. 'Geloof me maar.'

Boven hen klonk een kreet en Essix dook omlaag om op Meilins schouder te gaan zitten. Meilin verstijfde. De valk had haar nog nooit aangeraakt.

'Essix gaat voor Meilin,' zei Rollan stomverbaasd.

De valk vloog weer weg en Meilin keek haar na, nauwelijks in staat om te geloven dat Essix voor haar gekozen had. Hoe wist de valk wat ze kon? Ze had niet eens in de gaten gehad dat de vogel hun gesprek volgde.

Tarik knikte kort. 'Daar ga ik niet tegenin. Win onze vrijheid terug, Meilin.'

'Weet je zeker dat de vogel niet tégen haar stemde?' mompelde Barlow.

'Ik ben het eens met de uitleg van Rollan,' zei Tarik vastberaden.

Barlow liep naar Derawat toe. 'Onze krijger is Meilin.' Hij deed een stap opzij en stak zijn hand uit om haar voor te stellen.

Meilin kwam naar voren en Derawat deinsde achteruit. 'Is dit een list om onder het gevecht uit te komen? Alleen de grootste lafaard zou zich achter een kind verschuilen.'

Barlow keek om naar Tarik, maar die knikte weer. 'Zij is onze krijger,' zei Barlow, en in zijn stem schemerde zijn onzekerheid door. 'We verschuilen ons niet. Probeer haar maar eens te verslaan.'

De ogen van Derawat schoten vuur. 'Dit is een belediging! Jullie beweren dat de zwakste van jullie zich kan meten met de sterkste van ons! Ik zal geen genade tonen. Jullie moeten de uitkomst respecteren alsof zij een volwassen tegenstander is!'

'Of we nu winnen of verliezen, we houden ons aan jullie regels,' gromde Barlow. 'Tien klappen. Meilin vecht voor ons.'

'Dit is oneervol,' beet Derawat hem toe. 'Straks zullen jullie twee keer zo hard boeten voor deze vernedering.'

Barlow zei niets, maar wierp Meilin een veelbetekenende blik toe.

Derawat deed zijn cape af, rende naar het vat en doopte zijn knokkels nogmaals in de modder. Meilin liep achter hem aan en deed hetzelfde. Het spul was warm noch koud en voelde dik en vettig aan.

De rest van de Raven was zwijgend om hen heen komen staan, meer dan tweehonderd mensen, oud en jong, man en vrouw. Meilin hoopte dat ze inderdaad een kans maakte. Ze had geen idee hoe goed haar tegenstander was. Stel dat hij de handen had van meester Chu? Dan lag ze er binnen twee tellen uit.

Dit was duidelijk een gevecht waar deze mensen vaak op oefenden. Derawat had de juiste bouw en straalde zelfvertrouwen uit. Hij was in het voordeel door zijn lange, gespierde armen. Als hij raak sloeg zou ze op de grond vallen en dan zou hij achter elkaar klappen uitdelen.

Derawat bracht Meilin naar het midden van de cirkel. Hij keek haar fel aan. 'Klappen onder de elleboog tellen niet,' zei hij terwijl hij naar zijn onderarm gebaarde. 'Alle andere plekken mogen wel. Als je uit de cirkel stapt heb je verloren. Je krijgt geen tweede kans. Tien klappen. Mohayli telt.'

'Ik tel mee,' riep Barlow.

'Nog vragen?' vroeg Derawat aan Meilin. 'Jullie mogen nog een andere strijder kiezen.'

Meilin bekeek hem aandachtig. Ze mochten geen totemdieren gebruiken bij het gevecht, anders had ze Tarik laten vechten. Zoals hij kon springen en draaien met Lumeo, dat was ongelooflijk. Maar nu ze de hulp van hun dieren niet mochten inschakelen, wist ze zeker dat zij de enige was die een kans maakte om Derawat te verslaan. Ze moest winnen. Voor hun opdracht, voor haar eigen eer, voor haar leven.

'Geen vragen,' zei ze.

Derawat kneep zijn lippen op elkaar en liep een paar passen achteruit. Toen nam hij een vechthouding aan. 'Mohayli telt af.'

Meilin schudde haar armen en benen los om zich op te warmen. Stel dat de meesters die haar getraind hadden haar eigenlijk nooit echt hard hadden aangepakt? Ze wist dat ze zich vaak inhielden, maar stel nou dat ze nog veel voorzichtiger waren geweest dan zij dacht? Stel dat ze op het punt stond om ingemaakt te worden?

Nee! Dat soort twijfels waren funest. Ze moest haar hoofd koel houden.

Een kleine Raaf stak een hand op, liet hem weer zakken en riep: 'Beginnen!'

'Je kunt het, Meilin!' riep Conor.

Het was aardig van hem dat hij haar aanmoedigde, maar ze had het fijner gevonden als ze niet was afgeleid.

Derawat danste op haar af; zijn pezige spieren golfden onder zijn huid. Ze wachtte af, haar vuisten gebald, haar lichaam in evenwicht. Hij maakte een paar schijnbewegingen, maar ze gaf geen krimp. Hij kwam steeds dichterbij en probeerde haar uit te lokken, maar ze weigerde aan te vallen. Ze wilde eerst weten hoe snel hij was.

Toen hij ongeduldig werd, haalde hij eindelijk echt naar haar uit. Ze ontweek de klap en glipte opzij. Zijn aanvallen werden nu feller, hij sloeg een paar keer achter elkaar en ze was gedwongen te draaien en weg te duiken om niet geraakt te worden.

Hij was snel. Ze kon zich geen fouten permitteren. Ze liet zich terugdringen tot aan de rand van de cirkel, waar een welgemikte stomp haar over de rand zou duwen.

Derawat hapte toe en Meilin liet hem een glimp zien van wat ze in huis had. In plaats van hem te ontwijken dook ze op hem af, glipte onder zijn arm door en raakte hem drie keer tegen zijn dijbeen, links-rechts-links. Voor hij terug kon slaan sprong ze weer weg.

'Drie,' zei Mohayli verbaasd, met drie vingers in de lucht.

Meilin hoorde Conor en Rollan verrukt lachen, maar ze probeerde nog niet van deze kleine overwinning te genieten. Ze moest zich blijven concentreren.

Derawat keek naar zijn been. Ze had hem op drie verschillende plekken geraakt om zeker te weten dat de moddertekens goed van elkaar te onderscheiden waren. Hij keek haar met nieuw ontzag aan en bewoog zich opeens een stuk minder soepel. Meilin wist waar je iemand moest raken om hem zo veel mogelijk last te bezorgen.

Derawat kwam voorzichtig dichterbij, heel behoedzaam, klaar om naar voren of naar achteren te springen. Het was makkelijker geweest als hij overmoedig was gebleven.

Plotseling viel hij aan. Meilin voelde zijn vuist twee keer langssuizen. Zijn derde slag weerde ze af en bijna wist ze hem met een tegenaanval tussen zijn ribben te raken. Met zijn handen beschermend voor zijn lijf hupte hij opzij.

Daarna werden zijn aanvallen korter, bijna aarzelend, zonder dat hij zijn verdediging liet zakken. Meilin besefte dat zij het initiatief zou moeten nemen. Ze maakte drie subtiele schijnbewegingen en hij haalde hard uit om de derde af te weren. Toen schoof ze naar hem toe en gaf hem een serie rake klappen – buik, buik, dij, zij, afweren, buik, afweren, afweren, knie. Ze maakte een achterwaartse salto en rende vlug naar de rand van de cirkel.

'Vijf voor Meilin,' zei Mohayli.

'Zes,' verbeterde Derawat met een van pijn vertrokken gezicht. De klap op zijn knie was meedogenloos geweest en doordat ze hem goed had afgeweerd, hadden zijn polsen het zwaar te verduren gekregen. Hij was veel sterker, maar zij wist precies wanneer ze toe moest slaan, en waar.

Derawat deed een paar stappen om zijn knie te testen en keek Meilin vol ongeloof aan. Ze beantwoordde zijn blik heel ernstig. Als ze zich nu ging verkneukelen zou hij zich in zijn eer aangetast voelen en boos worden. Ze lette niet op de toeschouwers buiten de cirkel en bleef in de buurt van de rand, met Derawat in het midden. Hij schudde zijn hoofd en wenkte haar.

Met haar handen omlaag liep Meilin langzaam op hem af. Toen hij onverwachts uithaalde ontweek ze zijn arm en raakte hem twee keer onder zijn ribben.

'Twee,' riep Mohayli. 'Dat is in totaal elf voor het meisje.'

Meilin liep achteruit en Derawat erkende haar overwinning met een knikje. Beleefd knikte ze terug.

Tarik, Barlow, Monte, Rollan en Conor dromden opgetogen om Meilin heen en overlaadden haar met verblufte complimenten. Vanbinnen straalde ze door alle lof. Alleen haar docenten hadden haar ooit zien vechten, en die hadden haar nooit op deze manier geprezen – alsof het er echt toe deed.

Tarik legde zijn grote hand op haar schouder. 'Meilin, je hebt ons allemaal verrast. Volgende keer zal ik niet aan je twijfelen, en ook niet aan Essix natuurlijk. Wat een geluk dat jij met ons mee bent.'

Arax

Al een dag nadat ze bij de Raven waren vertrokken, vond Schrobber de eerste enorme hoefafdrukken. De omgeving was ongelooflijk ruig en er waren hier geen paden meer die ze konden volgen. De drie afdrukken waren oud en alleen bewaard gebleven doordat Arax in een plas modder gestapt was die inmiddels allang was opgedroogd.

Terwijl de anderen opstegen om verder te rijden, bleef Rollan op zijn hurken bij de sporen zitten. Hij liet zijn vingers langs de rand glijden en probeerde zich voor te stellen welke afmetingen Arax had. De afdrukken waren veel groter dan die van de paarden, dus Rollan wist dat de ram gigantisch moest zijn. Hij had nog nooit van een ram zo groot als een paard gehoord, en deze was zelfs nog groter!

'Kom je?' vroeg Conor vanaf zijn paard.

Rollan keek op. Briggan had aan de afdrukken gesnuffeld en was naar voren gerend om naast Barlow te kunnen lopen, maar Conor draalde achter aan de groep.

'Heb je ooit wel eens zo'n groot schaap in je kudde gehad?' vroeg Rollan, en hij stond op om naar zijn paard te lopen.

Conor schoot in de lach. 'Ik heb heel wat mooie exemplaren voorbij zien komen, maar zulke sporen zijn voor mij ook nieuw.'

Rollan zwaaide zijn been over het zadel. Hij keek achterom naar de hoefafdrukken. 'Willen we dat beest eigenlijk wel vinden?'

Conor haalde zijn schouders op. 'Wel als we die talisman willen hebben.' Hij spoorde zijn paard aan tot een draf.

Rollan duwde zijn hakken in de flanken van zijn paard en kwam naast Conor rijden. 'Die talisman is toch een Granieten Ram? Dat heb ik Tarik horen zeggen.'

'Ja. Dus de krachten die hij geeft zouden ook iets met een ram te maken moeten hebben.'

'Misschien moeten we het maar gewoon aan Meilin overlaten.'

Conor lachte. 'Ja, die kan er wat van!'

'Ik ben in een grote stad op straat opgegroeid,' zei Rollan. 'Ik heb heel wat knokpartijen gezien en meegemaakt, tussen kinderen en tussen volwassenen. Maar ik heb nog nooit iemand zo zien vechten. In de verste verte niet.'

'Zag je hoe snel ze uithaalde? Ze zou mij tien keer raken in de tijd dat ik twee klappen zou kunnen uitdelen.'

'En die twee klappen zou ze allebei afweren. Die van mij ook. Wat doen wij hier eigenlijk?'

'Dat vraag ik mezelf ook de hele tijd af,' mompelde Conor. 'Maar we hebben onze dieren in elk geval.'

Rollan keek omhoog. Essix was nergens te bekennen. 'Jij wel, ja. Hoe doe je dat toch?'

'Ik praat en speel met hem,' zei Conor. 'Dat zie je zelf. Ik geef hem geen geheime lessen als jij ligt te slapen, hoor.'

'Ik praat ook tegen Essix als ze er is,' zei Rollan. 'Ik geloof niet dat ze het erg vindt dat ik er ben, maar daar houdt het wel zo'n beetje mee op. Ik wou dat we elkaar echt begrepen.'

'Ik weet niet of ik Briggan wel echt begrijp,' antwoordde Conor. 'We hebben een hechtere band dan eerst. Maar hij vindt het ook fijn om zijn eigen ding te doen. Om heel hard weg te rennen en overal aan te snuffelen.'

'Maar hij komt altijd terug. En dan heeft hij echt aandacht voor je.'

'Essix komt ook als het belangrijk is,' zei Conor.

'Ja, op zich wel,' zei Rollan. 'Ik heb mensen altijd best goed kunnen inschatten. Dat moest wel, op straat. Daar moest je gewoon heel erg op je hoede zijn, anders werd je van alle kanten belazerd. Maar als Essix me helpt, dan vallen me nog veel meer details op.'

'Handig.'

'Ik wou dat ik haar in rusttoestand kon krijgen.'

'Dat lukt mij met Briggan ook nog niet.'

Rollan snoof. 'Onze Majesteit de Voortreffelijke kan het al sinds we haar kennen. Als ze ooit met ons praatte zou ik vragen hoe ze het deed.'

'Is dat niet een beetje gemeen? Ze is vast gewoon verlegen.'

Rollan lachte. 'Zou kunnen. Maar je denkt toch niet dat dat het enige is, hè? Ik weet dat je heel aardig bent en van een bergweide komt, maar ik kan me niet voorstellen dat je zo'n bord voor je kop hebt.'

Conor werd een beetje rood. 'Bedoel je dat ze zich beter voelt dan wij?'

'Dat zei ik niet... maar jij wel.'

'Misschien ís ze ook wel beter dan wij.'

Rollan lachte weer. 'Daar zou je wel eens gelijk in kunnen hebben. Ze kan in elk geval beter vechten. Ze heeft haar totemdier beter onder controle, ze is rijk, ze is knapper en haar vader is generaal.'

'We zijn een team,' zei Conor. 'We hebben ons samen bij de Groenmantels aangesloten, ook al heeft ze een andere achtergrond dan ik.'

Rollans gezicht betrok. 'O, ik snap het al. Ik ben het zwarte schaap. Jullie zijn allemaal Groenmantels, en ik niet. Waarom zet je me toch de hele tijd zo onder druk?'

'Dat heet je geweten, die druk die je voelt,' zei Conor terwijl hij Rollan strak aankeek.

'Ik weet niet wat dat is, mijn geweten. Mijn moeder heeft me bar weinig geleerd voor ze me in de steek liet.'

‘Mijn vader heeft me als dienstknecht verhuurd om zijn schulden af te betalen,’ kaatste Conor terug.

Rollan vond het nogal onnozel om hier een wedstrijdje van te maken en zei: ‘Hoor eens, mijn slechte jeugd is het enige wat ik heb! Waag het niet om daaroverheen te gaan.’

Dat leverde hem een schoorvoetend glimlachje van Conor op. ‘Je hebt mijn vader nog nooit meegemaakt in een slechte bui,’ zei hij als grapje. ‘Maar vooruit, jij wint.’

‘Best leuk om ook eens een keer iets te winnen,’ zei Rollan.

Later die dag wakkerde de wind aan. De wolken pakten samen en de donkere lucht kreeg de vlekkerige kleur van een paar dagen oude blauwe plek. Het werd koud en Conor liet Rollan zien hoe hij zijn deken over zijn mantel kon dragen.

‘Je hebt laagjes nodig,’ waarschuwde Conor terwijl hij zijn eigen deken om zijn schouders legde. ‘Als je het eenmaal koud hebt, is het heel moeilijk om weer warm te worden.’

‘Denk je dat het nog erger wordt?’ vroeg Rollan.

‘Die lucht staat me niet aan,’ zei Conor. ‘Zo ziet het er alleen uit als er heel slecht weer op komst is.’

‘Je hebt er kijk op,’ zei Barlow, die op zijn paard naar hen toe kwam. ‘Als we op vlakker land waren, zou ik bang zijn dat we tornado’s gingen krijgen.’

‘Tornado’s!’ riep Rollan uit. Hij keek nog eens goed naar de dreigende wolken. Natuurlijk kregen ze tornado’s. Anders zou het gevecht met de reuzenram te makkelijk worden. ‘Zijn die in de bergen niet veel erger? Straks worden we van een rotswand geblazen.’

Het landschap was in de loop van de dag steeds ruiger geworden. De ravijnen waren dieper en steiler, de bergtoppen onheilspellender en hoger, en de naaldbomen groeiden op deze hoogte in vreemde, kromme vormen. Ze kwamen langs brede, kale rotsvlaktes en hellingen vol naar beneden gerolde stenen. Rollan vond het maar niets dat zijn paard af en toe vlak langs een afgrond moest lopen, zoals nu. Hij werd een beetje zenuwachtig van dat hele val-idee.

'In de bergen komen wervelwinden veel minder vaak voor dan op vlak terrein,' zei Barlow. 'Maar dat wil nog niet zeggen dat het er niet heftig aan toe zal gaan. Misschien krijgen we wel zware windstoten. Hoosbuien. Of een sneeuwstorm.'

'We kunnen beter dekking zoeken bij die rotswand daar,' zei Conor wijzend. 'Onder die uitstulping kan de regen niet recht op ons vallen. Zolang de wind niet draait zitten we daar redelijk beschut. En die dennenboompjes daarbeneden bieden nog extra bescherming. Bovendien is het lang niet het hoogste punt in de omgeving, dus er is weinig kans op blikseminslag.'

'Sjonge!' riep Barlow uit. 'Ik kan wel merken dat iemand hier veel tijd in de natuur heeft doorgebracht!'

Conor boog zijn hoofd, maar Rollan zag dat de opmerking hem goeddeed. 'Ik was vroeger schaapherder.'

'Monte!' riep Barlow. 'Conor stelt voor om onder aan die rotswand af te wachten wat het weer gaat doen.'

Monte hield zijn paard in en keek rond. 'Helemaal geen slecht idee. Ik ben het met die knul eens.'

'Wacht maar tot we in een achterbuurt iets te eten bij elkaar moeten scharrelen,' zei Rollan tegen Conor. 'Dan ben je blij dat ik er ben.'

'Daar ben ik nu al blij om,' zei Conor. Een harde windvlaag blies zijn deken bijna van zijn schouders. Hij hield hem stevig vast tot de wind weer ging liggen. 'Misschien moet je Essix even roepen.'

Rollan keek omhoog. De lucht was nog donkerder geworden en hij zag zijn valk nergens. 'Essix!' riep hij. 'Naar beneden! Er is storm op komst!'

Een nieuwe rukwind blies prikkende steentjes in zijn gezicht. Daarna hoorde hij overal om zich heen kiezels kletteren, die recht uit de lucht leken te vallen.

'Hagel!' brulde Barlow. 'Snel, naar de rotswand!'

Er bonkte iets op Rollans hoofd. Zelfs door zijn kap heen deed het pijn. Nu zag hij dat de kiezels in werkelijkheid ijsballen waren, die in rap tempo groter werden.

Conor ging over in galop. Rollan gaf zijn paard de sporen en liet de teugels knallen. Zijn paard zette het op een lopen en ondertussen begon het echt hard te hagelen. Hagelstenen striemden de rotsen om hen heen en sprongen alle kanten op.

Er viel een steen op zijn hand en Rollan schrok van de klap. Hij boog zijn hoofd om zijn gezicht te beschermen. Weer een windvlaag vol met stenen. Tarik en Meilin waren al bij de krappe schuilplaats. Monte zou de volgende zijn. Daarna kwam Conor, en Barlow vormde de achterhoede.

Rollan kreeg een steen tegen zijn voorhoofd. Voor hij het wist was hij opzij gezakt in zijn zadel en hing hij gevaarlijk schuin langs de flank van zijn paard. Een van zijn voeten zat nog in de stijgbeugel, maar Rollan was helemaal uit balans en de grond raasde akelig dichtbij onder hem door. Hij boog zich naar voren en probeerde zijn armen om zijn paard heen te slaan. Als hij met deze snelheid op de rotsen viel, zou hij zwaargewond raken. Zijn paard minderde vaart, en op dat moment werd Rollan door een sterke hand bij zijn schouder gegrepen en rechtop in zijn zadel geduwd.

'Gaat het?' schreeuwde Barlow boven het gebulder van de wind en hagel uit.

In deze omstandigheden ging het al heel aardig als je nog leefde, vond Rollan. 'We moeten door!' antwoordde hij, en hij leunde naar voren over de hals van zijn paard.

Het hagelde nu ongelooflijk hard. De kleinste stenen waren inmiddels zo groot als Rollans duim. Sommige hadden het formaat van zijn vuist. Hij voelde de gejaagde ademhaling van zijn paard onder hem terwijl ze naar de schuilplaats stormden.

Zodra Rollan en Barlow veilig onder de rotswand waren aangekomen, sprongen ze op de grond. Pas toen Rollan bloed proefde besefte hij dat het uit een snee in zijn voorhoofd over zijn gezicht gutste.

Tarik zette Rollan met zijn rug tegen de rotswand op de grond en de doorgewinterde Groenmantel haalde een schone zakdoek tevoorschijn. De hagel kletterde nog steeds met veel kabaal op de rotsen maar kon hen niet meer direct raken. Sommige brokstukken sprongen hun kant op.

Conor hielp Barlow en Monte om de paarden zo neer te zetten dat ze een extra beschutting vormden tegen de wind. Meilin liep naar Rollan toe en hurkte samen met Jhi bij hem neer. De panda boog zich voorover en likte zijn voorhoofd.

'Moet je nou toch kijken,' zei Tarik verwonderd.

'Wat is er?' vroeg Rollan. Er voelde nu al iets anders.

'De wond gaat dicht,' zei Tarik. Hij keek naar Meilin. 'Wist jij wat Jhi van plan was?'

'Ik heb haar wakker gemaakt en gevraagd of ze hem wilde helpen,' zei Meilin. 'Ze zeggen dat Jhi heel goed kan genezen.'

'Het was geen erg diepe wond,' legde Tarik uit, 'maar het had nog wel een tijd kunnen bloeden. Dankzij de panda komt er nu al een korst op. Je hebt geluk gehad.'

'Noem je dat zo als je een ijsberg op je hoofd krijgt?' vroeg Rollan.

'Zo noem ik het als het grootste deel van de schade weer hersteld is,' antwoordde Tarik.

Rollan wierp een schuldbewuste blik op Meilin en Jhi. 'Dank jullie wel. Dat was heel aardig van jullie. Nu kan ik het verder wel alleen af denk ik.' Hij voelde zich nog steeds een beetje duizelig en hij wist niet zeker of hij zin had in nog meer pandaspuug op zijn gezicht.

'Graag gedaan,' zei Meilin.

Terwijl Barlow en Monte een vuurtje probeerden te stoken, zorgde Tarik ervoor dat iedereen zich zo dik mogelijk inpakte. De wind gierde om de rotswand, maar hun schuilplaats behoedde hen voor het ergste. De hagel slonk tot korrels ter grootte van knikkers en vormde hoopjes op de grond.

'Ik heb nog nooit zo'n hagelbui meegemaakt,' merkte Monte op. Hij had het vuur maken opgegeven en iedereen kroop dicht bij elkaar om warm te blijven. 'Dat kan geen toeval zijn.'

'Denk je dat Arax dit over ons af heeft geroepen om ons weg te jagen?' vroeg Meilin.

'Als dat zo is, dan zal hij met iets beters moeten komen dan een paar ijsklonten,' zei Tarik.

'Zeg dat maar tegen mijn hoofd,' bromde Rollan. 'Lukt het niet met het vuur?'

Monte schudde zijn hoofd.

'Het waait te hard,' zei Barlow. 'En we hebben geen goed aanmaakhout.'

Tussen de benen van de paarden door zag Rollan dat de hagel nu bijna horizontaal door de lucht werd geblazen. Met groeiende wanhoop speurde hij de hemel af op zoek naar Essix, maar hij zag haar nergens.

'Denken jullie dat Essix zich wel redt?' vroeg hij, bijna bang om het hardop uit te spreken.

'Ze heeft vast al ergens een schuilplaats gevonden,' zei Barlow. 'Als het goed is behoeden haar instincten haar voor dit soort situaties, en erger.'

'Het blijft maar hagelen,' constateerde Monte.

'We wachten hier gewoon tot het voorbij is,' zei Tarik. 'Het kan niet eeuwig blijven stormen.'

Rollan knikte een beetje onzeker, want hij wist niet goed waar ze meer van te vrezen hadden: van de storm, of van de ram die hem had gestuurd.

Rond het vallen van de nacht hield het eindelijk op met hagelen. Zodra de wind ging liggen, lukte het Barlow en Monte om een vuurtje aan te steken. 's Nachts werd het minder koud en tegen de ochtend waren alle restjes ijs weggesmolten.

Vlak na zonsopkomst kwam Essix aangezeild, even glad en glanzend als altijd. Rollan begroette haar enthousiast en gaf haar iets te eten uit zijn zadeltas. Ondanks de geruststellende woorden van Barlow had Rollan in gedachten een natte, zielige Essix voor zich gezien, haar dunne botjes kapotgebeukt door de hagelstenen. Maar de valk deed alsof er niets bijzonders was gebeurd en vloog meteen weer weg zodra ze had gegeten. Rollan nam haar onverschilligheid opgelucht voor lief.

Ze trokken langzaam verder, tot ze twee dagen later opnieuw sporen van de reuzenram tegenkwamen. Deze keer had Briggan ze eerder gevonden dan Schrobber.

'Niet vers, maar ook niet oud,' zei Monte nadat hij de forse afdrukken had bestudeerd. 'Ze zijn van minder dan drie dagen geleden. Misschien wel minder dan twee.'

'Dan zijn we heel dichtbij,' zei Rollan. Hij gebaarde naar het struikgewas. 'Misschien moet een van ons zich hier verstoppen terwijl de rest verdergaat.'

Monte grinnikte. 'Of twee van ons.'

Bij het zien van de nieuwe sporen begon Rollan zich steeds meer zorgen te maken. Ergens had hij gedacht dat ze Arax nooit zouden vinden. Het leek gewoon zo onwaarschijnlijk dat ze echt een Koningsdier tegen zouden komen. Maar door deze verse sporen behoorde het ineens zomaar tot de mogelijkheden.

Via een bergkam liepen ze naar nog ruiger terrein. De ijzergeur van graniet vulde de koude, ijle lucht, hoewel ze ook nog een vleugje dennenaroma konden ontwaren. Het landschap werd steeds kaler; slechts hier en daar klampten kleine, scheve naaldboompjes zich in miezerige stukjes aarde aan het leven vast. Soms voerde hun weg over smalle paadjes die nauwelijks breed genoeg waren voor de paarden. Toen ze langs een stuk kwamen met een duizelingwekkende afgrond links en een steile rotswand rechts, probeerde Rollan er niet aan te denken wat er zou gebeuren als zijn paard struikelde. Het werd steeds lastiger om op deze steenachtige grond de sporen te vinden, maar Briggan liet zich geen moment van de wijs brengen.

's Middags bereikten ze een gevaarlijk stuk waar de paarden niet langs konden. Iedereen zocht zijn belangrijkste spullen en wapens bij elkaar en Barlow en Monte bonden de paarden vast. Ze gingen te voet verder en schuifelden zijwaarts met hun rug tegen de bergwand over een smal randje rots. Vlak onder hun tenen gaapte een diepe kloof. Rollan was jaloers op Essix, die zich op de wind liet meevoeren terwijl alle anderen elk moment dat levensgevaarlijke eind naar beneden zouden kunnen vallen. Maar niemand verloor zijn evenwicht en Briggan had zelfs nergens last van: die rende praktisch naar de andere kant.

Aan het eind van de richel vingen ze voor het eerst een glimp van Arax op.

Voor hen lagen vier bergtoppen, verbonden door hoge passen en bedekt met een dik pak sneeuw. De ram stond in de verte, boven op een rots, van achteren verlicht door de zon. Zelfs van deze afstand zagen ze dat hij gigantisch was, met grote gekrulde hoorns op zijn kolossale kop. Heel even bleef iedereen stokstijf staan, en toen was Arax met een paar sprongen verdwenen.

'Dat was wel iets dichterbij dan de vorige keer,' zei Barlow, en hij streek zenuwachtig met zijn hand langs zijn lippen.

'Ik wou dat het niet al bijna donker was,' zei Tarik grimmig.

'Hij heeft ons gezien,' zei Barlow. 'Als we nu niet achter hem aan gaan, is hij morgenochtend misschien al lang en breed verdwenen.'

'Dan ben ik er voor om te wachten,' zei Monte droogjes.

Tarik, Briggan en Conor gingen voorop. Ze daalden voorzichtig af over een zee van gevallen stenen, alsof er hier een enorme rotslawine naar beneden was geraasd.

Beneden, waar de met keien bezaaide helling eindigde in een afgrond, liepen ze om een enorme rotsplaat heen en hadden ze een goed zicht op de breedste, langste richel tot nu toe. De ene kant van de richel liep langs de rotsplaat en aan de andere kant lag de afgrond naar het dal. En daar, op die richel, stond Arax op hen te wachten.

De ram was bijna twee keer zo groot als hun grootste paard. Zijn vacht had een donkere zilverkleur en zijn dikke hoorns leken van goud. Zijn lijf was stevig en sterk, met zware spierbundels boven aan zijn poten en in zijn nek.

Rollan keek met open mond toe. Doordat de ram zo immens was, had hij het gevoel dat hijzelf gekrompen was. Dit beest was veel ouder dan de wereld zoals zij die kenden, en op de een of andere manier leek die lange geschiedenis verweven met zijn koninklijke verschijning. Dit was geen wezen waar je dingen van jatte: dit was een wezen dat je aanbad. Rollan wierp een zijdelingse blik op zijn metgezellen, die ook vervuld waren met ontzag.

De oren van Arax bewogen. Hij snoof en schraapte ongedurig met zijn voorpoten over de grond. Rollan wist niet goed waar de ram op wachtte. Moesten ze iets zeggen? Ervandoor gaan? Knielen? De ogen van Arax waren angstaanjagend, met horizontale spleetjespupillen en de kleur van rauwe eierdooier.

'Jullie zoeken mij,' sprak Arax met een galmende stem. Rollan wist niet zeker of hij die stem daadwerkelijk met zijn oren hoorde of alleen in zijn hoofd. Het was moeilijk voor te stellen dat dit imposante wezen kon praten. 'Twee van jullie heb ik al eens gezien. Toen heb ik jullie zonder problemen laten gaan. Waarom zijn jullie teruggekeerd?'

'We werden geleid door een visioen van Briggan,' zei Barlow.
Arax hield zijn kop schuin. 'Briggan?' De ram sperde zijn neusgaten open. 'Ik begrijp het. Ik voelde al vreemde aanwezigen. Nu herken ik ze. Ze zijn anders dan de laatste keer dat we elkaar zagen. Briggan en Essix. Hun tijd is opnieuw gekomen.'
Rollan keek naar de lucht. Essix zweefde een eindje verderop rondjes in de wind.
Met een flits liet Meilin Jhi vrij. De panda ging rechtop zitten en keek naar Arax.
'En Jhi ook,' zei Arax. Hij schudde met zijn kop. 'Uraza?'
'Uraza is niet bij ons,' meldde Tarik. 'Maar ook zij is terug.'
'Ik ben blij dat ze er weer zijn,' zei Arax. 'Ze zijn niet wat ze ooit waren, want dit zijn ware groentjes, maar grootsheid heeft vaak een bescheiden herkomst.'
'Niet alleen de Vier Gevallenen zijn weergekeerd,' zei Tarik. 'De Verslinder is ook terug.'
'Aha,' zei Arax. 'Jullie komen om raad vragen. Oude krachten roeren zich. Je kunt een Koningsdier wel kooien, maar niet voor eeuwig. Gerathon en Kovo zijn onrustig.'
Tarik keek geschrokken op. 'Is de aap vrij? De slang ontsnapt?'
'Als het nog niet gebeurd is, dan zal het niet lang meer duren. Ik voel dat minder goed aan dan anderen. Tellun, die kan dat.'
Briggan blafte.
Arax boog zijn kop. 'Briggan kon het, in zijn hoogtijdagen. En zo nog enkele.'
'De Verslinder zal achter je talisman aan gaan,' zei Tarik. 'En we zijn hiernaartoe gekomen om eerbiedig te vragen of wij die talisman mogen lenen. We hebben hulp nodig voor de naderende oorlog.'
Arax snoof en stampte. Het gebonk van zijn enorme hoef tegen de rotsen galmde als een mokerslag. 'Mijn talisman? Zeg niet zulke onzinnige dingen in mijn bijzijn.'
Krassend landde Essix op Rollans schouders. Ze kneep hem

hard met haar klauwen, hij voelde het door zijn mantel heen.

Rollan slikte en schraapte zijn keel. 'Ik geloof dat Essix het daar niet mee eens is,' waagde hij te zeggen.

De eigeelachtige ogen richtten zich op hem. 'Ik begrijp haar veel beter dan jij,' baste Arax. 'De Gevallenen dachten dat gezamenlijk verzet de oplossing was. En toen vielen ze.'

Briggan gromde. Essix slaakte een langgerekte kreet en spreidde haar vleugels. Zelfs Jhi richtte zich op en staarde Arax ongewoon indringend aan.

'Maar op die manier is ook de Verslinder verslagen,' zei Tarik. 'En zijn Kovo en Gerathon opgesloten.'

'Hadden ze wel opgesloten moeten worden?' wierp Arax tegen. 'Hun haat heeft al die tijd liggen broeien. Ze kunnen niet vernietigd worden, niet voorgoed, niet zolang onze orde blijft bestaan. Als onze soort samenkomt in woede, gaat het mis. Het is beter als we ver bij elkaar vandaan in ons eigen gebied blijven. In de vorige oorlog heeft niemand mijn talisman meegenomen, en dat zal nu niet anders zijn.' De ram tilde zijn hoef op en stampte opnieuw op de rots. 'Dat is mijn antwoord.'

'Dat was het?' vroeg Rollan ongelovig.

'Denk er alsjeblieft nog even over na,' zei Tarik. 'We moeten die talisman hebben. Onze vijanden zullen niet opgeven, dus wij kunnen dat ook niet.'

Arax hief met een ruk zijn kop. Hij sperde zijn neusvleugels twee keer kort achter elkaar wijd open en draaide met zijn oren. 'Verraders!' brulde hij opeens met woedende ogen. 'Er komen vele vreemdelingen aan! Je hebt gelogen, want ze hebben Uraza bij zich! Hier zul je voor boeten!'

De ram steigerde en stormde toen naar voren, recht op Tarik af.

16 Nieuwkomers

Tarik dook opzij en wist de ram ternauwernood te ontwijken. De reusachtige hoorns van het dier raakten de rotsplaat zo hard dat het wel een aardbeving leek. Brokken steen vlogen in het rond en er trok een netwerk van scheurtjes door het harde oppervlak. De richel schudde onder Meilins voeten.

Tarik trok zijn zwaard en opeens sprong ook zijn otter tevoorschijn. Arax viel nog een keer aan, maar dit keer maakte Tarik een gracieuze salto om hem te ontwijken.

Meilin bestudeerde de omgeving. Op de plek waar ze nu stonden was de richel heel breed, en redelijk vlak tot hij een eind verderop schuin afliep. Achter de rand van de richel wachtte de steile afgrond.

Met een lichtflits liet Barlow Jools vrij. De grizzlybeer beukte tegen de achterpoot van Arax, waardoor de ram opzijschoof en een paar trippelpasjes moest maken om niet te struikelen. Arax schopte hard naar achteren en gaf de beer een trap met zijn enorme hoef. Jools rolde over de grond.

Meilin rende terug om te zien welke nieuwkomers Arax zo boos hadden gemaakt. Ze hoopte dat Uraza versterking meebracht: een tweede groep Groenmantels zou goed van pas komen tegen de reuzenram. Ze liep om de grote rotspartij heen en gluurde omhoog langs de helling vol stenen.

Tien, nee, elf mensen kwamen hun kant op, en ze waren al vlakbij. Ze droegen geen van allen groene mantels, maar ze zag wel meerdere totemdieren. Naast een Niloaans meisje rende een luipaard met lichtvoetige passen over de rotsen. De prachtige luipaard bewoog met die opvallende mengeling van sierlijkheid en kracht die alleen katachtigen hebben. Het meisje was lenig en lang voor haar leeftijd en had een zelfverzekerde houding. De twee leken op een subtiele manier haast synchroon te bewegen, alsof ze allebei dezelfde geheime muziek hoorden. Dat moesten Uraza en haar bondgenoot zijn.

Meilin zag ook een baviaan, een veelvraat, een poema, een jakhals en een Amayaanse condor met brede vleugels. Ze had al deze beesten wel eens gezien in Zhongese dierentuinen, maar om ze in een kooi of achter een hek te bekijken was heel iets anders dan te zien hoe ze langs een helling op je afstormden.

'Het zijn geen Groenmantels!' riep Meilin.

'Dit was geen valstrik!' schreeuwde Tarik tegen Arax. 'Deze nieuwkomers zijn door onze vijanden gestuurd!'

De ram viel opnieuw aan en Tarik schoot opzij. Heel even had hij de mogelijkheid om zijn zwaard te gebruiken, maar hij haalde niet uit.

'Jullie zijn hier allemaal om dezelfde reden!' brieste Arax. 'Jullie willen mijn Granieten Ram stelen!'

Rollan, Conor en Monte haastten zich naar Meilin toe terwijl Barlow en Tarik de strijd met Arax voortzetten.

'Dat is Zerif!' riep Rollan.

De man met de zorgvuldig gekapte baard keek op en stak zijn hand op. Naast hem rende een jakhals. 'Daar ben je weer!' riep Zerif toen hij dichterbij kwam. 'Mooie kleur mantel, Rollan.'

'Zijn jullie hier om tegen ons te vechten?' vroeg Rollan.

'Niet als jij je bij ons aansluit,' antwoordde Zerif met een zelfingenomen lachje. 'Sylva, zoek de talisman.'

Uit de pols van een van de vrouwen schoot een vampiervleermuis tevoorschijn. Met gesloten ogen hield ze het dier een tijdje vast. Even later gingen haar ogen weer open – waren ze donkerder geworden? 'Ik weet waar hij is,' zei ze.

'Ga hem halen,' zei Zerif. 'Wij ruimen de troep hier wel op.'

De vrouw vertrok terwijl de rest van de groep dichter bij elkaar ging staan. 'Abeke!' riep Meilin naar het donkere meisje. 'We waren al naar je op zoek. Waarom help je die mensen?'

'Ze wil dat Uraza deze keer aan de goede kant vecht,' zei de jongen die naast de veelvraat rende. 'Het wordt tijd dat de Groenmantels niet langer de baas over de wereld spelen.'

Briggan gromde en zijn nekharen stonden overeind. Uraza grauwde terug. Meilin voelde zo veel woeste spanning tussen de twee dieren dat ze haar vechtstok pakte.

'Achteruit,' zei Monte terwijl hij achter de rotspartij verdween. 'Ze komen naar ons toe. Blijf zo lang mogelijk uit het zicht. Dan moeten ze op vlakke grond met ons vechten.'

Hij had gelijk. Meilin trok zich samen met de anderen terug. Ze had kriebels in haar buik. Dit was haar eerste echte gevecht! Zelfs het duel bij de Raven was een wedstrijd met duidelijke regels geweest. Hoe zou ze het ervan afbrengen als haar leven op het spel stond? Hoe gemeen zouden deze tegenstanders vechten?

Meilin zag dat Jhi aan een graspolletje stond te plukken dat uit een spleet in de rotsen stak. 'Jhi! Wil je me alsjeblieft helpen, net zoals Lumeo Tarik helpt? We zitten in de problemen. Ik kan alle kracht gebruiken die je me kunt geven.'

De panda keek haar uitdrukkingsloos aan en richtte haar aandacht toen weer op het graspolletje. Vol afschuw wendde Meilin haar blik af.

Conor hupte van zijn ene voet op de andere en greep met witte knokkels zijn bijl vast. Briggan liep naast hem heen en weer, zijn haren nog steeds overeind.

'Het komt wel goed,' zei Meilin tegen Conor.

Hij schonk haar een waterig glimlachje. 'Ik heb altijd veel houtgehakt. Als ze nou gewoon heel stil blijven staan, komt het inderdaad allemaal goed.'

Meilin stootte een verbaasd lachje uit. Er was moed voor nodig om op een moment als dit een grapje te maken.

Rollan keek naar de lucht. Essix cirkelde hoog boven hen. 'Kom je me nog helpen?' riep hij, duidelijk gefrustreerd.

Meilin wierp een blik over haar schouder en zag dat Barlow onder Arax op de grond lag en de zware hoeven van de ram probeerde te ontwijken. Tarik en Jools renden naar hem toe om hem te helpen. Toen ze zich weer omdraaide, kwam er een Amayaanse man op een bizon om de rotspartij gegaloppeerd. Ze dook samen met de anderen opzij en zag nog meer vijanden verschijnen.

Meilin ving slechts flarden op van het rumoer om haar heen. Briggan die naar de buik van de bizon hapte. Conor die met brede halen van zijn bijl een berggeit op afstand hield. Rollan die zwaaiend met zijn dolk achteruitliep. Monte die met een slinger een steen liet wegvliegen. Ze concentreerde zich vooral op de vrouw die onverschrokken samen met een poema op hen af kwam.

Meilin zakte door haar knieën en nam een vechthouding aan. Naast haar ging Jhi op haar achterpoten staan. Met een speer in haar hand sprong de vrouw op Meilin af. Ze kwam veel verder dan mogelijk leek en had haar bovenlip opgetrokken in een hatelijke grimas. Meilin tikte de punt van de speer weg met haar stok, draaide zich snel om en sloeg de vrouw tegen haar slaap. Haar aanvalster zakte bewusteloos op de grond in elkaar.

Meilin zette zich schrap voor de wraak van de poema. Die dook in elkaar en staarde naar haar panda, klaar om uit te halen. De grote kat bleef een paar tellen zo staan. Jhi liep op haar achterpoten naar de gehypnotiseerde poema toe en zette haar poten aan weerskanten van zijn kop. De ogen van de kat zakten dicht en het dier viel diep in slaap op de grond.

'Tja. Beter dan niets,' mompelde Meilin terwijl ze rondkeek.

Barlow hielp Tarik om de ram over de rotsen in de richting van de nieuwe vijanden te dringen. Meilin vond het een goede tactiek: op deze manier moesten de nieuwkomers helpen het grootste gevaar te bedwingen. Briggan stond weer naast Conor. Vlak bij hen lag een Amayaanse man op de grond, en zijn berggeit deinsde terug voor Briggans tanden en Conors bijl. Monte vocht met een Zhongese vrouw terwijl haar razendsnelle mangoest met Schrobber worstelde. Hij zag eruit alsof hij aan de verliezende hand was.

Meilins vader had haar altijd gewaarschuwd dat er op het slagveld niet veel ruimte was voor sportiviteit. In een gevecht op leven en dood vocht je zo hard je kon en benutte je elke kans, want dat zou je vijand ook doen. Daarom rende Meilin naar Monte toe, gaf de vrouw een klap tegen haar achterhoofd en mepte toen de mangoest bewusteloos.

De bizon stormde op Arax af. Barlow en Tarik sprongen vlug opzij. Het dier was groot en sterk, maar viel in het niet bij de kolossale ram. Een Amayaanse man rende achter de bizon aan en schreeuwde dat hij moest blijven staan. De koppen van de ram en de bizon bonkten met een misselijkmakend hard gekraak tegen elkaar. De bizon viel in een akelig verwrongen hoopje op zijn rug en de man gilde het uit.

Boven hen slaakte Essix een schrille kreet. Toen ze opkeek zag Meilin dat Abeke en Uraza boven op de rotspartij stonden. Abeke wilde haar pijl en boog op het strijdgewoel onder zich richten, maar de valk probeerde dat te verhinderen. Het dier dook naar beneden om haar schot te verstoren en klauwde naar de handen van het meisje. Uraza gromde en haalde met haar vervaarlijke poten uit naar de vogel. Essix krijste opnieuw.

'Niet doen, Abeke!' riep Meilin. 'Je vecht voor de verkeerden!'

Abeke probeerde Essix neer te schieten, maar miste de valk op een haar na. Meilin keek waar Jhi was en zag dat de panda behoedzaam via een minder steil stuk aan de andere kant de rotspartij beklom waarop Abeke zat.

Tarik was in een zwaardgevecht verwikkeld met Zerif. Tarik

bewoog als een acrobaat en maakte venijnig gracieuze draaien en sprongen, maar Zerif leek aan hem gewaagd. Hij weerde alle klappen af en viel ontzagwekkend snel aan.

'Meilin, pas op!' waarschuwde Monte.

Meilin draaide zich vliegensvlug om en kon nog net op tijd het zwaard van de jongen met de veelvraat ontwijken. Zijn wapen had een glanzende kling en een verguld gevest. Meilin probeerde zijn benen weg te slaan met haar stok, maar hij sprong eroverheen en wist haar opnieuw bijna te steken. Toen ze hem aanviel hakte hij haar stok doormidden en toen ze verder probeerde te vechten met in beide handen een halve stok, sloeg hij met welgemikte klappen die helften ook weer in tweeën. Hij vocht goed en snel, en zelfs als Meilin een zwaard zou hebben wist ze niet of ze hem aan zou kunnen.

Ze deinsde achteruit en trok haar knots. Die was dikker en korter dan de stok, met ijzeren ringen eromheen.

Rollan kwam vanuit het niets met zijn dolk tevoorschijn gesprongen, maar de behendige jongen weerde zijn aanval af en schopte Rollan opzij. De veelvraat zette zijn tanden in Rollans arm en schudde wild met zijn kop.

'Je bent goed,' zei de jongen tegen Meilin. 'Jammer dat je tegen ons vecht.'

'Jouw mensen hebben mijn land aangevallen,' gromde Meilin.

'Dat moet je als een compliment beschouwen,' antwoordde de jongen. 'Wij bewonderen Zhong. We dromen van een beter Zhong, dat niet gebukt gaat onder de onderdrukking van de Groenmantels.'

Meilin haalde uit met haar knots. De jongen ontweek de eerste razendsnelle klap, weerde de volgende af en zette toen de tegenaanval in. Meilin deed een paar passen achteruit, want tegen dit geweld kon ze bijna niet op. Toen hij een bovenhandse slag uitdeelde, was ze zo druk met het afweren ervan dat ze volkomen verrast werd door de trap die haar voeten onder haar lijf vandaan schopte, en ze viel op de grond.

Grijnzend ging de jongen met geheven sabel over Meilin heen staan. 'Ik stel voor dat je je overgeeft.'

De Granieten Ram

Vanaf haar positie boven op de rots had Abeke een goed uitzicht op de strijd. Onder haar duelleerde Zerif met een lange Groenmantel die zich soepeler bewoog dan ze ooit voor mogelijk had gehouden: hij wervelde en buitelde zonder ook maar een moment de controle over zijn zwaard te verliezen. Shane vocht met een Zhongees meisje dat er jong en klein uitzag maar zich opvallend fel verzette. Abeke wilde hem helpen met haar pijl en boog, maar die vervelende valk bleef maar op haar af duiken en haalde met haar scherpe klauwen uit naar de pees van haar boog. Abeke had al twee pijlen verspild met haar pogingen de vogel van dichtbij neer te halen.

Uraza gromde zacht. Abeke meende te begrijpen wat de luipaard bedoelde. Ze zakte door haar knieën met haar boog vlak bij Uraza, legde een pijl op haar boog en richtte omlaag. Toen de valk dichterbij kwam, boog Abeke zich opzij. Uraza sprong recht omhoog en hapte in een vleugel. De valk fladderde wild, maar na een dreigend gegrom van Uraza werd de vogel slap.

Abeke trok de pijl weer naar achteren en mikte. Het zou waarschijnlijk het meest helpen als ze de Groenmantel doorboorde met wie Zerif aan het vechten was. Of ze kon die grote vent met die beer neerhalen. Maar die leidde op dit moment Arax af, dus hem kon ze misschien beter met rust laten. De ram had de bizon al verpletterd en Neil samen met zijn baviaan vertrapt.

Terwijl ze een doelwit uitzocht merkte ze dat de boog in haar handen trilde. Wilde ze echt een Groenmantel neerschieten? Op weg hiernaartoe was ze vastbesloten geweest om Zerif en Shane te helpen de talisman te pakken te krijgen. Maar dit voelde helemaal niet goed.

Het Zhongese meisje had een panda. De jongen met de bijl had een wolf. En de giervalk die haar lastig had gevallen, was dat Essix? Ze nam het op tegen de andere leden van de Vier Gevallenen. Wie vocht er dan aan de verkeerde kant?

Shane en Zerif wilden dat ze met hen meevocht. Maar als ze heel eerlijk was moest ze toegeven dat het hen eigenlijk alleen om Uraza te doen was. Abeke fronste haar wenkbrauwen. Ze hadden allemaal pas belangstelling voor haar gekregen toen ze de luipaard had opgeroepen. De besluiteloosheid verlamde haar en het moment waarop ze had kunnen toeslaan was alweer voorbij.

De panda kwam rustig over de hoge rotspartij op haar af gekuierd, met opvallende zilverkleurige ogen in het zwarte, wollige masker. Dat moest Jhi zijn, uit de sprookjes. De verhalen die altijd rond het vuur verteld werden, kwamen overal om haar heen tot leven: Groenmantels, Arax de Ram, de Vier Gevallenen. Als dit nieuwe verhaal verteld ging worden, zou zij dan een held of een slechterik zijn?

Met de valk nog steeds in haar bek keek Uraza naar de naderende panda. Het was een vreemd gezicht, Jhi boven op de rotsen, te bol en onhandig om over de smalle richel te lopen. Abeke richtte haar pijl op de beer.

Uraza keek om naar Abeke en stootte een laag gegrom uit in haar keel, zonder de valk los te laten. Abeke liet haar wapen onmiddellijk zakken. Uraza had haar nog nooit zo'n directe waarschuwing gegeven.

De panda kwam dichterbij en snuffelde aan Uraza. De luipaard liet de valk los, die meteen van de rotsen hupte en wegvloog. Uraza moest de vogel heel voorzichtig vastgehouden hebben, want haar vleugel was ongeschonden. Die krachtige kaken hadden de vleugel zo van haar lijf kunnen scheuren als Uraza dat gewild had.

Uraza drukte haar neus tegen die van Jhi en keek toen spinnend op naar Abeke.

'Herken je Jhi?' vroeg Abeke.

Uraza staarde haar doordringend aan met die felpaarse ogen. Voor deze ene keer had Abeke geen idee wat de luipaard wilde.

Abeke kneep in haar boog. Omdat ze eigenlijk niet tegen de Groenmantels wilde vechten, kon ze misschien beter op zoek gaan naar de talisman. Daarvoor waren ze tenslotte hier. Als zij hem mee kon nemen, kwam er wellicht een eind aan het bloedvergieten.

Beneden stond Shane over het Zhongese meisje heen gebogen, klaar om toe te slaan met zijn sabel. Ze lag hulpeloos op de grond. Toen werd Shane van achteren pootje gelicht door een jongen die de veelvraat van Shane aan zijn arm had bungelen. Abeke hapte naar adem. Shane werd overrompeld door de aanval en smakte op de grond terwijl zijn sabel uit zijn handen kletterde. Een van zijn benen lag in een vreemde hoek onder hem. Het meisje pakte het zwaard op en hield het dreigend voor zich uitgestoken. Met een wazige blik riep Shane zijn veelvraat bij zich.

'Jhi doen we niets,' zei Abeke tegen Uraza. 'Maar laat ze Shane alsjeblieft geen pijn doen.'

Uraza draaide zich om en vloog met een woest gebrul van de rots af. Het was een heel eind naar beneden, veel verder dan Abeke zou durven springen. Met haar ene voorpoot duwde Uraza het Zhongese meisje tegen de grond en met haar andere de Amayaanse jongen. Heel even leek het meisje doodsbang, maar toen Uraza een nieuwe aanval van Shane's veelvraat met een harde grauw afweerde, keek ze op naar Abeke. Die keek strak terug en knikte ernstig. Het meisje kreeg een verbijsterde uitdrukking op haar gezicht.

Abeke speurde de lucht af op zoek naar Essix en ontdekte de valk boven de rotsen, op het punt waar de richel steeds smaller werd en in de rotswand verdween. Sylva stond onder de valk bij de rand en keek naar haar vleermuis die rond een kleine uitstulping in de rotsen fladderde, een flink eind voorbij de richel. Zo te zien kon Sylva niet verder. De talisman lag waarschijnlijk buiten haar bereik, in de buurt van de vleermuis. Beneden leek niemand Sylva op te merken. Met haar boog in haar hand rende Abeke over de rotspartij. Als zij Sylva hielp, hadden ze de talisman misschien zo te pakken en dan konden ze ervandoor.

Abeke klom omlaag langs de minst steile kant van de rotspartij die ze kon vinden. In de haast schaafde ze haar armen en benen en ze viel minstens een derde van het stuk naar beneden. Maar ze kwam goed terecht op de richel, waar ze werd opgewacht door haar luipaard.

'We moeten die talisman te pakken zien te krijgen,' zei Abeke, terwijl ze zo snel mogelijk over de richel sprintte.

Een eind verderop griste de valk de vleermuis uit de lucht. Sylva gilde en strekte haar armen uit naar haar totemdier. De vogel schudde de vleermuis woest heen en weer en liet hem toen los. Het diertje viel slap naar beneden, steeds verder, tot het uit het zicht verdween. Sylva zakte op haar knieën en tuurde over de rand. Jammerend riep ze zijn naam.

Abeke bleef hollen.

Essix vloog naar de kleine uitstulping voorbij de richel waar de vleermuis omheen had gefladderd. Nu zag Abeke dat het eigenlijk een ruwe stenen doos was van zware op elkaar gestapelde keien. De valk pikte en klauwde ernaar, maar kreeg hem niet open.

'Ga weg daar!' loeide Arax, en zijn zware stem echode tussen de bergen. 'Verdwijn, dieven! Leugenaars!'

Met een geluid als een bulderende rivier suisde er een verschrikkelijke rukwind over de richel. Hij raakte Abeke in haar rug en duwde haar naar voren. Essix werd van de rotsen geblazen en wervelde hulpeloos in het rond. Ze werd meerdere keren tegen de rotswand gesmeten en vond toen beschutting in een kleine holte.

Zerif had Abeke gewaarschuwd dat Arax de wind kon beïnvloeden. Maar een Regendanser moest normaal gesproken dagenlang zwoegen om het weer te beïnvloeden: Abeke had niet op zulke plotselinge windstoten gerekend. De harde wind veranderde constant van richting en ze moest telkens draaien om niet te vallen. Uraza rende naast haar, haar vacht platgeblazen door de windvlagen.

Eindelijk was Abeke bij Sylva. 'Hoe gaat het met de vleermuis?' vroeg ze.

'Boku is helemaal daarbeneden op dat kleine richeltje terechtgekomen,' antwoordde Sylva terwijl ze paniekerig en verdrietig over de rand keek. 'Hij is gewond.'

Abeke bestudeerde de uitstulping met de stenen doos. Het was een stuk hoger dan de plek waar ze nu stond en de richel hield bovendien veel eerder op. Haar oog viel op een paar kleinere richels en kieren tussen haar en de doos in. Ze keek naar Uraza.

'Denk je dat ik het haal?'

Uraza gaf haar een bemoedigend kopje.

Abeke voelde haar zintuigen scherper worden. Ze nam de blik van Uraza over, voelde haar kracht. Nu ze de rotswand gedetailleerder zag, ontdekte ze steeds meer plekken waar ze houvast zou kunnen vinden. Haar zelfvertrouwen groeide. Ze legde haar boog neer en zakte door haar knieën. De wind blies in haar rug. De dichtstbijzijnde richel was zo ver weg dat een normaal mens er nooit naartoe zou kunnen springen. Maar met de hulp van Uraza was Abeke geen normaal mens.

Ze nam een aanloop en zette zich af. De wind stuwde haar voort en ze sprong van de richel die ze had gezien naar een ander, smaller randje. Dat raakte ze slechts heel even aan, waarna ze zich uitstrekte en zich met beide armen aan een knobbelige uitstulping vastgreep. Het leverde haar brandende schaafwonden op van haar polsen tot haar ellebogen. De wind gierde en wervelde om haar heen. Abeke trok zich omhoog tot ze op de uitstulping stond en sprong verder. Deze keer werd ze afgeremd door de wind, en zelfs met de extra kracht in haar afzet wist ze het volgende punt maar net te bereiken. Ze dwong zichzelf om niet naar beneden te kijken, want ze wist dat er onder haar alleen een steile afgrond was.

Terwijl de oorverdovende wind tegen haar aan duwde, sleurde Abeke zichzelf omhoog. Ze schoof langs de smalle richel tot ze niet verder kon en landde toen met een laatste sprong op de rand met de doos.

'Nee!' brulde Arax. 'Nee, nee, nee, nee, nee!'

Het begon nog harder te waaien en de hele bergwand beefde. Abeke dook in elkaar en worstelde zich tegen de wind in een weg naar de doos. Kreunend duwde ze zo hard mogelijk tegen het zware deksel, en toen ze ging verzitten om nog meer kracht te kunnen zetten, kreeg ze het eraf. In de doos vond ze een granieten beeldje van een ram aan een dunne ijzeren ketting.

De wind nam af, maar de berg schudde steeds harder. Een paar van de richels en uitstulpingen langs de bergwand brokkelden af en vielen de diepte in naar het dal ver onder haar. Abeke hoopte vurig dat de talisman haar op de een of andere manier zou helpen en hing de ketting om haar hals.

Ze wiebelde. De richel waar ze op zat kraakte en scheurde onder haar voeten. De hele wand schokte. Ze voelde zich niet anders nu ze de Granieten Ram droeg en veel van de richels die onderweg naar de doos als houvast hadden gediend, waren inmiddels verdwenen. Maar er viel nu een regen van keien langs de bergwand op haar neer en de richel onder haar voeten brokkelde af, dus ze moest wel springen.

Ze voelde de kracht van de talisman pas op het moment dat ze zich afzette, maar toen leek het wel alsof de energie die ze van Uraza had gekregen verviervoudigd werd. Ze vloog verder dan ze had durven dromen. Terwijl de richel onder haar wegviel, schoot ze een adembenemend stuk door de lucht.

Maar ze kwam niet ver genoeg om de afstand naar de grote richel te overbruggen en de andere plekken waar ze zich aan had kunnen vasthouden, waren afgebroken. Toen ze naar beneden af begon te buigen, zag ze een inkeping in de rotswand die misschien net groot genoeg was voor haar voet. Ze zette zich af in de holte en kreeg weer wat meer hoogte. Met een laatste duw tegen een miezerig rotsrandje belandde Abeke naast Uraza weer op de grote richel.

'Ongelooflijk,' prevelde Sylva stomverbaasd.

Nu de wind ging liggen vloog de valk weer op. Sylva begon aan de gevaarlijke afdaling naar haar vleermuis.

Abeke raapte haar boog op en keek naar Arax. Het gevecht met de ram kwam haar kant op. Er lagen meerdere mensen en dieren op de grond en Arax ging met hernieuwde energie tekeer tegen degenen die nog overeind stonden. Ze zag dat Arax de grizzlybeer te grazen nam en met zijn enorme hoorns van de rotsen smeet. De ram kon zelf nog net op tijd afremmen terwijl de beer over de rand verdween.

Toen draaide Arax zich woest naar haar om en zijn moordlustige gele ogen richtten zich op de talisman om haar hals. Met een geloei dat de hele berg deed schudden stormde het Koningsdier op haar af. Abeke sprong met vloeiende bewegingen van links naar rechts, maar Arax volgde haar moeiteloos. Opeens stond ze met haar rug naar de afgrond terwijl de ram nog steeds op haar afkwam, zijn kop dreigend gebogen.

De man met de baard rende woest brullend naar voren. Hij sloeg zijn gespierde armen om een van de achterpoten van Arax en hield hem stevig vast. Arax kwam slippend tot stilstand en probeerde zich los te wringen en om te draaien, maar de man hield de reuzenhoef van de grond. Zijn eigen benen werden trappelend naar voren getrokken. Met blikkerende tanden viel Briggan een andere poot aan. Essix maakte krijsend een duikvlucht naar Arax' ogen en haalde uit met haar scherpe klauwen. De enorme ram struikelde en wankelde. De man gaf een luide schreeuw, draaide zijn lichaam en duwde Arax met bovenmenselijke inspanning over de rand.

De grote man viel op zijn knieën terwijl de ram uit het zicht verdween en de beer achternaging naar de bodem van het dal.

Abeke kon geen woord uitbrengen. Deze onbekende had niet alleen een Koningsdier verslagen: hij had ook haar leven gered.

Hijgend keek hij naar haar op. 'Gaat... gaat het, meisje?' vroeg hij terwijl hij zijn hand naar haar uitstak.

Voordat Abeke kon reageren dook Zerif naar voren en stak de grote man in zijn rug. Abeke gilde het uit en sloeg haar hand voor haar mond. De grote man tastte zwakjes naar de kling die door zijn borst weer naar buiten kwam. Een ogenblik later stond de Groenmantel met de otter naast hem. Hij haalde met zijn zwaard uit naar Zerif, maar die dook weg en liet zijn eigen zwaard zitten waar het zat.

Abeke kon haar ogen nauwelijks geloven. Deze man, haar vijand, had haar leven gered, om vervolgens beloond te worden met verraad. Een dolk in zijn rug. De laagste klap die iemand kon uitdelen. Ze liep op haar redder af terwijl Zerif naar Shane toe rende en de jongen van de grond tilde. De lange Groenmantel kreeg het aan de stok met een Amayaanse krijger. De adder van de vrouw hapte van achteren naar hem, maar de otter van de Groenmantel beet de slang net onder zijn kop. Het beest begon woest te spartelen, maar de otter liet niet meer los. Even later sloeg de lange man zijn tegenstander met het gevest van zijn zwaard buiten westen.

Zerif en de anderen vluchtten de met stenen bezaaide helling op. Zerif droeg Shane over zijn schouder en hield de sabel van de jongen in zijn hand. Met verwilderde ogen keek hij achterom naar Abeke. 'Opschieten! Deze kant op!'

Abeke voelde zich opvallend rustig en zeker toen ze haar hoofd schudde. 'Ik ga niet meer mee! Ik hoor niet bij jullie, Zerif!'

In eerste instantie leek Zerif sprakeloos. Toen kreeg hij een kille, woedende blik in zijn ogen. Zijn jakhals rende ongedeerd naast hem, maar de veelvraat van Shane liep mank. Ze werden vergezeld door nog een paar andere overlevenden, maar iedereen was bont en blauw. Slechts één van hen had nog een totemdier. Zerif had geen bondgenoten meer.

Abeke legde een pijl op haar boog. 'Ga weg, anders gaat het pijlen regenen.'

Met nog een laatste ziedende blik draaide Zerif zich om. Ontzagwekkend snel begon hij de berg te beklimmen.

De lange Groenmantel draaide zich om naar Abeke.

'Heb je de talisman?' vroeg hij.

Ze liet de pijl weer zakken en voelde even aan de Granieten Ram. 'Ja.'

'En je wilt je bij ons aansluiten?'

'Als jullie dat ook willen.'

De Groenmantel knikte kort. 'Wij willen dat heel graag. We hebben je nodig. Ik ben Tarik.'

Tarik liep naar de man met de baard toe, die nog steeds op de grond lag. Het Zhongese meisje knielde naast hem neer, samen met een kleinere, kale man en een wasbeer. Jhi snuffelde aan de wond waar het zwaard uit zijn borst stak.

'Genees hem dan!' zei het meisje dringend tegen haar panda. 'Dat kun je toch? En anders moet je mij helpen hem te genezen. Wat moet ik doen?'

'Niet alle verwondingen kunnen genezen worden,' hijgde de man met de baard. 'Die ram heeft Jools te grazen genomen, maar niet voordat mijn beer me nog één laatste stoot energie heeft gegeven. Die ram was veel zwaarder dan alles wat ik ooit heb getild.'

Jhi gaf het meisje, dat hardop zat te huilen, een lik. 'Red hem,' herhaalde ze zacht snikkend.

De bebaarde man hield de hand van de kale man vast. 'Je was de beste kameraad die een man zich kan wensen, Monte,' zei hij, en zijn stem nam af tot een zacht gefluister. 'Een echte vriend.' Hij haalde hortend adem. 'Vergeet niet aan iedereen te vertellen dat ik een Koningsdier van de rotsen heb gesmeten.'

'Er zullen verhalen en liederen over je geschreven worden,' beloofde Monte.

'Het spijt me dat ik je nu al alleen moet laten.'

'Over een tijdje kom ik je gezelschap houden,' zei de man met het kale hoofd, en de tranen stroomden over zijn wangen.

De gewonde man keek naar Tarik. Hij haalde piepend adem en er sijpelde bloed van zijn lippen naar zijn baard. 'Als het kan, wil ik graag in een groene mantel begraven worden.'

'Iets gepasters kan ik me niet voorstellen,' zei Tarik.

De man met de baard liet zijn hoofd naar achteren zakken en deed zijn ogen dicht. Monte boog zich voorover en fluisterde iets in zijn oor. De borst van de bebaarde man ging in rochelende stuiptrekkingen op en neer, en werd toen stil.

'Ik kan haast niet geloven dat hij echt een Koningsdier heeft gedood,' zei de jongen met de wolf verdoofd.

'Arax is niet dood,' zei Tarik. 'Die sterft niet zomaar als hij van een bergwand valt, ook al is het een hoge. Daarvoor hebben de Koningsdieren te veel leven in zich. Maar als we opschieten, komen we misschien nog heelhuids weg.' Hij klonk voortvarend, maar Abeke vond dat de man er heel moe uitzag. En ook heel verdrietig.

Monte keek op. 'Barlow is dood. Ik wil hem hier liever niet achterlaten.'

'Het zal vooral lastig worden om hem naar de paarden te krijgen,' zei Tarik. 'Maar het moet lukken.'

Uraza grauwde instemmend.

‘En als ze verderop in een hinderlaag liggen?’ vroeg de jongen met de wolf.

Tariks gezicht werd grimmig en hij legde zijn hand op het gevest van zijn zwaard. ‘Ik hoop van harte dat dat zo is.’

De Gevallenen

Conor leunde tegen de hoogste borstwering van Schemerslot en keek naar het westen. Een briesje speelde met zijn haar. De toren bood een indrukwekkend uitzicht, maar de bergen waar ze het tegen Arax hadden opgenomen lagen te ver weg om vanaf hier te kunnen zien. Briggan zat naast hem en drukte zijn snuit tegen zijn hand.

Ze waren de vorige middag aangekomen bij Schemerslot. De groep had vaart achter de reis gezet, opgejaagd door de constante angst dat Arax hen misschien zou inhalen of dat Zerif ergens in een hinderlaag zou liggen, maar de tocht was zonder problemen verlopen.

Barlow lag nu gehuld in Tariks mantel onder de grond van een lieflijk weiland. Monte was met hen meegereisd naar Schemerslot, want hij was vastbesloten om de eed van de Groenmantels opnieuw af te leggen. Op de terugweg was hij een stuk stiller geweest dan tijdens de heenreis.

Conor probeerde niet te lang bij bepaalde dingen stil te staan. Hij probeerde niet aan Barlow of Jools te denken. Hij deed zijn best om zich niet voor te stellen hoe het zou voelen als er iets met Briggan gebeurde. Hij probeerde niet te piekeren over alle gevaren die hun nog te wachten stonden, en over de vrienden die hij onderweg misschien nog zou verliezen.

Conor aaide de dikke vacht van Briggans nek. 'Ik kan nauwelijks bevatten dat we weer terug zijn. Zo lang zijn we helemaal niet weggeweest, maar het lijkt wel eeuwen geleden.'

De wolf likte zijn handpalm. Pas na het gevecht op de rotsen gaf de wolf hem af en toe een lik. Conor ging op zijn hurken zitten en knuffelde de wolf met twee handen.

'Je moet een beetje geduld met me hebben,' zei Conor. 'Ik zal heel veel met mijn bijl oefenen. Ik leef nog en ik heb een paar van onze tegenstanders kunnen afweren, maar ik kan nog veel beter worden. De volgende keer hoef je me niet meer de hele tijd te redden, dat beloof ik.'

Briggan duwde zijn snuit tegen Conors onderarm.

'Dat kietelt.'

De wolf gaf hem opnieuw een duwtje.

'Wat bedoel je nou, jochie?'

Briggan staarde hem indringend aan.

'O.' Ineens begreep Conor het. 'Wat moet ik doen?' De anderen staken altijd hun arm uit, dus dat probeerde hij ook maar.

Met een flits veranderde Briggan in een tatoeage op zijn onderarm. De afbeelding schrijnde even, alsof hij met zijn arm tegen iets heets was gekomen, maar de brandende pijn verdween snel.

'Dat zag ik,' zei een stem achter hem.

Toen Conor zich omdraaide zag hij Rollan die door de deur van de toren stapte, zijn verbonden arm in een draagband. Meilin en Abeke kwamen in hun groene mantels achter hem aan.

'Hoe lang kun je dat al?' vroeg Rollan. 'Wilde je het niet laten zien om mij niet te kwetsen? Ik zit niet op jouw medelijden te wachten, hoor.'

'Dat was de eerste keer,' zei Conor terwijl hij de tekening liet zien. 'Eerlijk waar.'

'Goed gedaan,' zei Meilin.

'Dank je wel,' antwoordde Conor verlegen. Hij werd altijd een beetje zenuwachtig als Meilin iets tegen hem zei. Ze was gewoon zo... geweldig. En moeilijk te doorgronden. 'Ik denk dat Briggan niet in rusttoestand wilde gaan toen we nog onderweg waren. Hier voelt hij zich waarschijnlijk veiliger.'

'Ik vraag me af of Essix zich ooit veilig zal voelen,' zei Rollan.

'Gun haar wat tijd,' adviseerde Abeke.

'Waar is ze eigenlijk?' vroeg Conor.

Rollan tuurde naar de lucht. 'Waar ze altijd is – ergens daarboven. Ze vindt het fijn als ik haar gewoon haar gang laat gaan. Dat snap ik ook wel.'

'Ze is vast boos op je omdat je geen Groenmantel wilt worden,' zei Conor.

'Nee.' Rollan schudde zijn hoofd. 'Volgens mij begrijpt ze dat. Jullie moeten het ook niet verkeerd opvatten. Ik vind het goed van jullie dat jullie je aangesloten hebben. Echt waar. Vooral van jou, Abeke. Jij hebt zoveel meegemaakt. Maar ik weet gewoon nog niet zeker of het iets voor mij is, om zo'n officiële eed af te leggen en zo. Ik ga niet weg. Ik blijf helpen. En wie weet, misschien trek ik dat ding op een dag ook wel aan.'

'Wat gaat er nu eigenlijk gebeuren?' vroeg Meilin.

'Ik denk dat we veel gaan trainen,' zei Conor. 'We moeten laten zien dat we onze dieren echt verdienen. En we gaan op zoek naar de andere talismans. Dat ben ik in elk geval van plan.'

'Heb je de laatste tijd nog over nieuwe dieren gedroomd?' vroeg Rollan op luchtige toon.

Conor keek even naar de tekening op zijn arm en wendde zijn blik toen af om in de verte te staren. 'Ik vind dat we eerst wel even mogen bijkomen.'

'Dat is geen antwoord op mijn vraag,' merkte Rollan op.

Conor sloeg zijn ogen neer. 'Goed dan. Ik heb het nog niet tegen Olvan gezegd, en ook niet tegen Lenori, hoewel ze me vanochtend heel raar aankeek. Ik wil niet dat mensen zich zorgen gaan maken, en ik wil ook onze rust hier niet verstoren, maar sinds een paar dagen... heb ik nachtmerries over een everzwijn.'

De terugkeer

Zeeën verder, aan de andere kant van Erdas, raakte onder een zwarte, ondoordringbare hemel een grote hoop aarde op een troosteloze vlakte doorweekt van warme regen. Vurige bliksemschichten zigzagden door de nacht en lieten het wolkendek telkens kort oplichten. De langgerekte uitbarstingen van de rommelende, dreunende donder overstemden het getik van de regendruppels.

In de felle lichtflitsen waren honderden, misschien wel duizenden wombats te zien die in de rand van de modderige hoop wroetten, als een mierenkolonie die aan haar nest werkt. Zonder op het helse onweer te letten groeven ze als een bezetene door, met bloedende pootjes.

Daartussendoor liep een eenzame gestalte die in het flakkerende licht van de bliksem naar hun gezwoeg keek. Ze waren er bijna. Hij voelde het.

In zijn ene hand hield hij een grove, zware sleutel waarin dierenkoppen waren gekerfd. Zoals beloofd was die nu eindelijk bij hem bezorgd. Vannacht was de kroon op een periode van jarenlang hard werken.

De haartjes in zijn nek en op zijn armen stonden overeind. De lucht gonsde. Hij schuifelde een paar passen naar voren, zakte op zijn hurken, legde de sleutel neer en duwde zijn handen tegen zijn oren.

De bliksem sloeg vlakbij in en de wombats vlogen door de lucht. De donderslag was oorverdovend, zelfs met zijn handen over zijn oren. Hij voelde de elektriciteit door de grond gaan.

Zijn beenspieren trokken pijnlijk samen, maar ondanks de schok bleef hij overeind.

In de volgende lichtflits zag hij links van hem minstens tien dode wombats liggen. De andere beestjes bleven ijverig doorploegen. Dat was geen normaal gedrag voor deze dieren, maar dit waren dan ook geen gewone wombats. Het waren de slaven van het wezen onder de grond. Hij diende datzelfde wezen, maar zijn toewijding was van een andere aard. Dat hield hij zichzelf tenminste voor.

De gedaante raapte de sleutel op en kwam overeind in het voortwoedende onweer. Hij liep heen en weer langs de berg aarde; de modder zoog bij elke stap aan zijn voeten. Uiteindelijk onthulde een flits dat de wombats hun werk hadden gestaakt en allemaal bij elkaar aan één kant van de berg waren gekropen.

De gedaante haastte zich ernaartoe. Toen hij dichterbij kwam had hij geen bliksemstralen meer nodig om de juiste plek te vinden. De sleutel leek wel een magneet die door een onzichtbare kracht naar zijn bestemming werd getrokken.

Een felle flits liet het gat in de zijkant van de berg zien. De wombats trokken zich eerbiedig terug. De gedaante ging door het gat naar binnen en viel op zijn knieën terwijl de regen op hem neerstriemde.

Met ingehouden adem stak de gedaante de sleutel in het zojuist blootgelegde gat. Er klonk gerommel, maar het was geen onweer. Onder hem begon de aarde te beven. Eerst voelde hij het alleen, maar algauw was het zo luid als gebrul.

Bij de volgende verblindende bliksemschicht zag hij dat de zijkant van de heuvel uit elkaar viel. Er kroop een enorm, slangachtig wezen naar boven. Het had zijn halsschild uitgezet en zijn tong schoot naar buiten. Zonder te weten of hij zou blijven leven of ging sterven knielde de gedaante voor het wezen neer. Als zijn tijd gekomen was, had hij in elk geval zijn doel bereikt. Hij had het wezen goed gediend.

Gerathon was vrij.